Lust auf...
vegetarisch.
Step by Step

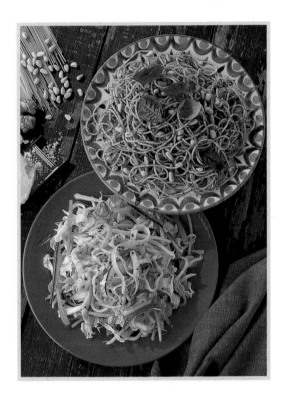

Lust auf... vegetarisch.

Step by Step

VERLOCKENDE NEUE IDEEN FÜR
SCHNELLE UND EINFACHE GERICHTE

Beratende Herausgeberin: **LINDA FRASER**

ISBN 3-89815-064-x

Herausgeberin: Joanna Lorenz
Projekt-Redakteurin: Linda Fraser
Designer: Tony Paine und Roy Prescott
Cover: Mathias Becker
Art Direction Eurobooks: M. Becker

Rezepte: Carla Capalbo und Laura Washburn
Fotografen: Karl Adamson, Steve Baxter und Amanda Heywood,
Kochen für die Fotos: Wendy Lee, Jane Stevenson und Elizabeth Wolf Cohen
Styling: Blake Minton und Kirsty Rawlings

Lifestyle 2000

 Das Apfel-Symbol kennzeichnet ein fett- und cholesterinarmes Rezept

ANMERKUNGEN
Die Maßeinheiten für alle Rezepte sind in Dezimaleinheiten und,
wenn möglich, auch in Löffeln und Teelöffeln der Standardgröße angegeben.
Dabei entsprechen *1 Teelöffel (TL) 5 ml* und *1 Esslöffel (EL) 15 ml.*
Diese eignen sich besonders gut, um kleine Mengen flüssiger Zutaten wie Öl,
aber auch Mehl, Salz usw. ohne großen Aufwand abzumessen.
Wenn im Rezept nicht ausdrücklich etwas anderes vermerkt ist,
gilt die Anzahl der Eier für solche mittlerer Größe (M).

INHALT

EINFÜHRUNG

Immer mehr Menschen begeistern sich für die vegetarische Küche. Längst hat sie das brave Bratling-Image von vor zehn oder 20 Jahren hinter sich gelassen. Es gibt eine Unzahl spannender, neuer Produkte und exotischer Zutaten, die dazu einladen, unbekannte, aufregende und abwechslungsreiche Rezepte auszuprobieren, die dazu auch noch einfach zuzubereiten sind.

Überraschend leicht ist es heute, eine ausgeglichene vegetarische Lebensweise anzunehmen. In der Tat ernähren sich die meisten Vegetarier ausgesprochen gesund. Sie essen eben reichlich

Getreide, Früchte, Gemüse und Hülsenfrüchte. Vegetarier sollten allerdings auf ihre Fettzufuhr achten, etwa Käse und Sahne sparsam einsetzen, da beides sehr cholesterinreich sein kann.

Wichtig ist auch eine gute Eisenversorgung. Eisen aus pflanzlichen Quellen kann vom Körper nur in Verbindung mit Vitamin C verwertet werden. Auch eine gute Versorgung mit komplexen Kohlenhydraten sollte gewährleistet sein. Das beste Rezept für eine ausgewogene Kost, die alles Notwendige enthält: Essen Sie möglichst vielseitig und abwechslungsreich.

Diese Lebensmittel sollten Sie möglichst täglich verzehren:
• Getreideprodukte wie Hafer, Gerste, Nudeln, Reis und ballaststoffreiche Frühstückscerealien
• Brot und Kartoffeln
• Hülsenfrüchte wie Linsen, Erbsen, Bohnen, getrocknet oder aus der Dose
• frisches Gemüse, besonders Kohl und grünes Blattgemüse wie Spinat
• frische Früchte

Diese Lebensmittel sollten Sie sparsam in Ihrer Küche einsetzen:
• Trockenfrüchte, ungesalzene Nüsse
• Käse (vor allem fettreiche Sorten)
• Öl (am besten Oliven-, Sonnenblumen-, Mais- oder Erdnussöl), Margarine, Butter und Sahne.

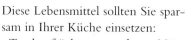

DER VEGETARISCHE VORRATSSCHRANK

Mehl
Eine gute Quelle für komplexe Kohlenhydrate. Verwenden Sie verschiedene Sorten wie Vollkorn- oder Weizenmehl. Mischen Sie sie für Gebäck und Brot.

Reis
Naturreis ist besonders reich an Ballaststoffen. Basmati und heller Langkornreis passen zu den meisten Speisen. Wildreis, eigentlich eine Grasfrucht, hat gute Eiweißwerte.

Hülsenfrüchte
Ihr Eiweißgehalt ist zwar beachtlich, doch fehlt Hülsenfrüchten eine essentielle Aminosäure. Getreide enthält genau diesen Eiweißbaustein (ihm fehlen wieder andere). Also sollten Sie für eine optimale Proteinzufuhr beides kombinieren. Zum Beispiel in Form von Linsen mit Reis, Bohnen mit Nudeln oder Brot mit Kichererbsenpaste.

Hülsenfrüchte müssen normalerweise eingeweicht werden, am besten über Nacht. In den ersten 10 Minuten sollten Sie sie bei starker Hitze kochen, um alle schwerverdaulichen Bestandteile zu zerstören, danach sanft weiterköcheln.

Einige Linsen müssen aber nur kurz gegart werden – rote Linsen benötigen z.B. lediglich 20 Minuten. Sie sind ideal für Suppen und Eintöpfe. Bohnen passen zu Suppen, Pâtés und Pürees. Von den vielen Sorten sollten Sie Kidneybohnen, die feinen italienischen Cannellini und Pintobohnen probieren.

Pasta

Gute Quelle für komplexe Kohlenhydrate. Schnell und einfach zu kochen. Mit einer gigantischen Auswahl an Formen, Sorten und sogar Farben. Die leicht nussigen Vollkornnudeln sind reicher an Vitaminen und Mineralstoffen.

Kartoffeln

Die altbekannte Knolle erlebt eine Art Renaissance, und es werden auch neue Sorten angeboten (z.B. rote). Achten Sie auf die Verwendungshinweise: festkochende Sorten für Salate, mehlig-festkochende für Eintöpfe, mehlige für Püree.

Fette und Öle

Generell sollten Sie Öle mit einem hohen Anteil an mehrfach ungesättigten Fettsäuren bevorzugen: Sonnenblumen-, Raps- und Erdnussöl schmecken neutral. Maiskeim- oder Nussöle sind kräftiger im Aroma. Das beliebte Olivenöl hat einen außergewöhnlichen Geschmack und ist reich an einfach ungesättigten Fettsäuren, die den Cholesterinspiegel senken sollen. Fette und Öle enthalten die lebenswichtigen Vitamine A, D und E. Also lassen Sie sie niemals ganz weg, auch wenn Sie Kalorien sparen wollen.

Käse

Ist als Milchprodukt reich an Eiweiß, aber auch an Fett. Verwenden Sie zum Kochen reife, aromatische Sorten, dann benötigen Sie nur kleine Mengen. Es gibt bereits aus vegetarischem Lab hergestellte Käsesorten für Vegetarier. Fragen Sie im Naturkostladen und achten Sie auf die Packungsaufdrucke.

Milchprodukte

Sie können aus einer Vielzahl von Produkten wählen. Achten Sie wie beim Käse auf den Fettgehalt. Quark, Frischkäse, Joghurt, Hüttenkäse und sämtliche flüssigen Milchprodukte werden aus Magermilch angeboten. Auch Sahne ist in verschiedenen Fettstufen erhältlich.

Nüsse und Samen

Diese eiweißreichen Kraftpakete ergänzen viele Rezepturen. Die beliebtesten Sorten sind Erdnüsse, Walnüsse, Mandeln, Cashewkerne und Pistazien. Sie entwickeln ihr volles Aroma, wenn sie ohne Fett kurz in einer Pfanne geröstet werden. Das Gleiche gilt für Samen wie Sonnenblumenkerne, Sesam, Mohn oder Kürbiskerne. Sie sind eine vitaminreiche Ergänzung für Salate.

Kräuter

Bevorzugen Sie frische, am besten selbstgezogene. Beim Gemüsehändler können Sie auch ausgefallenere vorbestellen. Reste lassen sich gehackt einfrieren und portionsweise verwenden. Getrocknete besitzen wenig Aroma.

Gewürze

Farbenfroh, voller Aromen und einfach anzuwenden – Gewürze sind erst die Krönung für jedes Gericht. Zerstoßen Sie sie am besten frisch im Mörser und rösten sie kurz in der heißen Pfanne an.

GEMÜSE VORBEREITEN

Frisches Gemüse schmeckt oft am besten, wenn es sorgfältig vorbereitet und ganz einfach zubereitet wird. Beachten Sie diese Tipps zur Handhabung von Grünzeug & Co., und Sie werden die größtmögliche Freude an Ihrer saisonalen Ernte haben.

IN WÜRFEL SCHNEIDEN

Wenn Gemüse in einem Gericht die Hauptrolle spielt, sollte es sorgfältig gewürfelt werden. Grobe Würfel messen ca. 1,5 cm x 1,5 cm, feine Würfel 3-6 mm. Fein geschnittenes Gemüse gart übrigens auch schneller.

GROBES HACKEN

Wenn Sie Gemüse grob hacken, ist es nicht nötig, ein gleichmäßiges Ergebnis zu erzielen. Denn meistens wird es hinterher vollständig zerkocht. Zum Hacken können Sie auch eine elektrische Küchenmaschine verwenden. Mehrmals kurz betätigen.

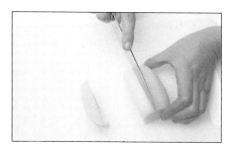

1 Gemüse gegebenenfalls schälen. Wenn es sich wie bei Möhren oder Selleriestangen um eine lange Form handelt, zunächst quer in fingerlange Stücke schneiden. Längs in Scheiben gewünschter Dicke schneiden. Messer mit den Fingerknöcheln führen.

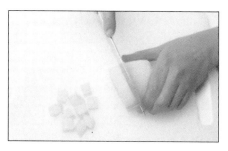

2 Scheiben aufstapeln und der Länge nach in Schnitze gewünschter Dicke schneiden. Dann quer in feine Würfel schneiden.

GEMÜSE HACKEN

1 So hacken Sie eine Zwiebel: Zuerst pellen, dabei einen Teil des Strunks stehenlassen. Dann halbieren.

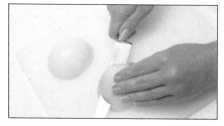

2 Flach auf das Schneidebrett legen, am Strunk festhalten und waagerecht in Scheiben schneiden, dabei nicht ganz durchschneiden.

3 Dann senkrecht schneiden, sodass feine Stücke entstehen. Dann entstrunken und die zweite Hälfte genauso verarbeiten.

4 Knoblauch hacken: Zehe zunächst mit der flachen Seite eines Messers vorsichtig quetschen. So tritt das Aroma leichter zutage und die Haut lässt sich besser abziehen.

5 Mit wippenden Bewegungen hacken und immer wieder mit der flachen Messerseite quetschen, bis eine pastöse Masse entsteht.

6 Frische Kräuter zum Hacken bündeln, zuerst grob hacken. Dann in verschiedenen Richtungen mit wiegenden Bewegungen fertighacken.

TOMATEN HÄUTEN UND ENTKERNEN

Manche Tomatensorten haben eine harte Schale und viele Kerne. Beim Kochen lösen sich diese und bleiben dann als störende Bestandteile im Essen. Manche Menschen können Tomatenhaut auch nicht verdauen. Wenn es sich nicht anbietet, wie bei einer Suppe oder Soße, die Masse durch ein Sieb zu streichen, sollten Sie die Tomaten zur Vorbereitung häuten und entkernen.

Zum Rohessen oder wenn die Tomaten eine weiche Schale haben, ist das Häuten nicht notwendig. Obwohl Viele auch Tomaten in Salaten oder auf Sandwiches lieber gehäutet verzehren.

1 Tomaten häuten: Tomaten auf der Unterseite mit einem scharfen Messer kreuzweise einritzen. 3-4 Stück in einem Sieb für etwa 10 Sekunden in kochendes Wasser tauchen. In Eiswasser abschrecken. Mit einem Messer die Haut abziehen.

2 Tomaten entkernen: Früchte quer halbieren. Ganz leicht zusammendrücken, Kerne und Saft in eine Schüssel schütteln. Eventuell verbliebene Kerne mit einem kleinen Löffel herausschaben. So erhalten Sie das reine Tomatenfruchtfleisch.

PAPRIKASCHOTEN HÄUTEN

Es gibt mehrere Möglichkeiten, Paprika zu häuten. Sie können dafür einen Gemüseschäler verwenden. Ein befriedigenderes Ergebnis erzielen Sie jedoch, wenn Sie die Schoten rösten und dann häuten. Grillen macht den Geschmack von Paprika zusätzlich milder.

CHILISCHOTEN VORBEREITEN

Vorsicht mit Chilihänden: Niemals die Augen, Nase oder Lippen berühren. Hände danach gut waschen.

1 Paprikaschoten nebeneinander auf einen Rost oder ein Blech legen und dicht unter den Grill schieben. Unter Wenden rösten, bis die Haut von allen Seiten schwarz und blasig ist. Beim Grillen am Feuer kann man die Schoten auch aufspießen und ins Feuer halten.

2 Sobald die Haut verkohlt ist, Schoten in eine Plastiktüte geben und verschließen. Abkühlen lassen, der Wasserdampf in der Tüte erleichtert das Pellen. Wenn die Paprika abgekühlt sind, häuten und putzen.

JULIENNESTREIFEN SCHNEIDEN

Diese dekorativen Gemüsestreifen, die man Juliennestreifen nennt, sind einfach herzustellen, sehen aber ziemlich professionell aus. Sie können auch andere Lebensmittel auf diese Art zuschneiden, zum Beispiel Zitronenschale, Ingwer, gekochtes Fleisch, festen Käse oder feste Früchte wie Äpfel.

Für Juliennestreifen Gemüse schälen und in 5 cm lange Stücke schneiden. Wenn nötig, Rundungen entfernen, sodass das Gemüse gleichmäßig geformt ist.

1 Gemüsestücke flach hinlegen und der Länge nach in 3 mm dünne oder dünnere Scheiben schneiden.

2 Scheiben aufschichten und der Länge nach in 3 mm dünne oder dünnere Streifen schneiden.

WURZELN UND KNOLLEN
Möhren
Von Natur aus leicht süß passen sie zu fast allen Gerichten. Sie schmecken warm und kalt, roh oder gekocht.

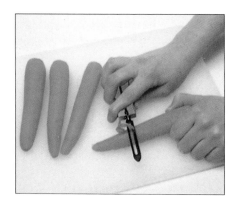

Zubereitung: Junge Bundmöhren müssen nicht geschält werden, nur die Enden abschneiden und schrubben. Wie gewünscht zuschneiden oder ganz lassen. Falls das Innere holzig ist, entfernen.

Pastinaken
Der milde nussige Geschmack macht die Rübenart zur köstlichen Zutat für Suppen oder Geschmortes.

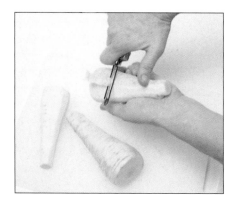

Zubereitung: Enden abschneiden, Wurzeln dünn schälen. Kleine ganz lassen, größere kleinschneiden. Eventuell holzigen Strunk oder Inneres entfernen.

Steckrübe
Die dicke Wurzel ist eine kräftige Zutat für Eintöpfe oder Pürees.

Zubereitung: Strunk abschneiden, Steckrüben rundum schälen.

Sellerie
Das grobschlächtige rauhe Äußere täuscht: Diese Knolle ist zart und äußerst aromatisch.

Zubereitung: Dick schälen, und zwar erst kurz vor dem Kochen, denn Sellerie verfärbt sich sonst. Wenn Sie Sellerie roh verarbeiten möchten, die vorbereiteten Stücke mit Zitronensaft beträufeln. Wie im Rezept angegeben kleinschneiden.

Zwiebeln
Zwiebeln gehören in praktisch jedes Rezept, das eine gewisse Würze verlangt. Sie sind in vielen Größen und Sorten erhältlich: Die großen Gemüsezwiebeln sind eher mild, die flachen, länglichen Schalotten besonders fein im Geschmack, rote Zwiebeln verschönern Salate, weiße Zwiebeln sind mildaromatisch.

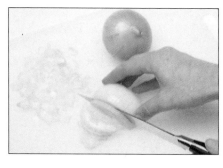

Zubereitung: Zwiebel pellen und wie im Rezept vorgegeben hacken, würfeln oder in Ringe schneiden. Bei Frühlingszwiebeln Enden und Wurzelansatz sowie verfärbte, schlaffe Teile entfernen. Dann in feine Ringe oder Streifen schneiden. Grüne und weiße Teile sind verwendbar.

Lauch
Dieses eher milde Zwiebelgemüse kann als Beilage oder würzende Zutat vor allem für Suppen und herzhafte Eintöpfe eingesetzt werden.

Zubereitung: Wurzelansatz und dunkelgrüne, verwelkte Blattteile entfernen. In feine Ringe oder in lange Stücke schneiden oder hacken und waschen. Wenn Lauch im Ganzen verwendet werden soll, der Länge nach aufschneiden und abspülen.

FRUCHTGEMÜSE
Auberginen
Die violetten Früchte sind roh nicht zu genießen. Sie entfalten ihr Aroma erst nach längerer Garzeit oder wenn sie kräftig angebraten werden.

Zubereitung: Stielansätze entfernen, nach Vorgabe in Scheiben oder Würfel schneiden oder zum Füllen aushöhlen.

Zucchini
Diese Früchte der Kürbisfamilie können ganz gegessen werden, sogar die Blüten können mitverwendet werden.

Zubereitung: Waschen, Enden abschneiden, wie angegeben kleinschneiden.

Kürbis

Das Riesengemüse zählt kurioserweise botanisch zu den Beerenfrüchten. Bei uns sind Gartenkürbisse stückweise und kleinere Squashkürbisse erhältlich.

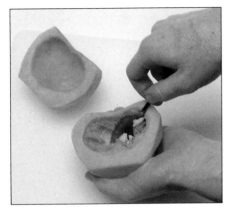

Zubereitung: Schälen, entkernen und holzige Fasern entfernen. Zum Füllen und Backen halbieren und mit einem Löffel Kerne und Fasern entfernen.

GRÜNES BLATTGEMÜSE UND ANDERES GEMÜSE

Spinat

Die zarten weichen Blätter des Sommerspinats können roh für Salate verwendet werden. Der gröbere Winterspinat schmeckt gegart besser.

Zubereitung: Spinat kann sehr sandig sein, sollte also gründlich gespült werden. In kaltes Wasser eintauchen und schwenken. Abtropfen lassen und nochmals waschen. Abtropfen lassen oder trockenschütteln und verlesen. Grobe Strünke oder welke Blattteile sorgfältig entfernen.

Grüne Bohnen

Vor allem im Sommer sind verschiedene knackige grüne Bohnen erhältlich.

Zubereitung: Enden mit Messer oder Schere abschneiden. Nicht ganz zarte Bohnen entfädeln: Spitzen kappen, dabei die harte lange Faser abziehen. Große Bohnen diagonal schneiden.

Erbsen

Zuckerschoten können vollständig verzehrt werden. Grüne Erbsen müssen aus der Schote gelöst werden.

Zubereitung: Bei Palerbsen Schoten öffnen, Erbsen herausdrücken. Bei Zuckerschoten nur die Enden mit einem scharfen Messer abschneiden, gegebenenfalls entfädeln.

Brokkoli

Schmeckt warm oder blanchiert und abgekühlt in Salaten. In kleine Röschen geteilt auch ideal für den Wok.

Zubereitung: Strunk kürzen. Je nach Rezept, Kopf im Ganzen garen oder in kleine Röschen teilen. Auch der Strunk ist essbar, wenn er großzügig geschält und kleingeschnitten wird.

Blumenkohl

Weißer Blumenkohl wird fast überall angeboten. Es gibt aber auch besonders vitamin-C-reiche grüne Varianten.

Zubereitung: Große grüne Blätter entfernen, die kleinen zarten sind essbar. Strunk kürzen und ein wenig herausschneiden. Blumenkohl ganz lassen oder vor oder nach dem Garen in kleine Röschen teilen.

Pilze

Zuchtpilze wie Champignons oder Austernpilze werden häufig angeboten. Seltener findet man Wildpilze wie Steinpilze, Maronen oder Pfifferlinge.

Zubereitung: Mit einem weichen Pinsel oder Tuch säubern oder wenn nötig kurz abspülen. Pilze nicht wässern, sie saugen sich schnell voll. Strünke kürzen. Bei Wildpilzen alle fauligen oder verbissenen Stellen großzügig herausschneiden. Kleine Pilze ganz lassen, größere entsprechend halbieren oder vierteln. Champignons für Salate blättrig schneiden. Zum Füllen Strunk herausdrehen.

LEICHTE SNACKS

Mittags muss es meist schnell gehen, und die Gerichte dürfen nicht zu kompliziert sein. Deshalb finden Sie hier einfach zuzubereitende Speisen, an denen auch Kinder ihre Freude haben. Würzige Gratins mit Brokkoli und Blumenkohl oder Eintöpfe mit Bulgur oder Linsen sind ideal für kühle Tage. Im Sommer können Sie gebackene Polenta mit Tomaten, Ratatouille oder Spaghetti mit Kräutersoße servieren.

Spinat mit Eiern und Käsesoße

Wenn Sie keinen frischen Spinat bekommen können, verwenden Sie tiefgefrorenen. Tauen Sie ihn auf und pressen soviel Flüssigkeit wie möglich heraus.

Zutaten

Für 4 Portionen

1 kg frischer Blattspinat, entstielt
3 EL Butter oder Margarine
3 EL Mehl
300 ml Milch
75 g geriebener gut ausgereifter
   Cheddar
1 Prise zerstoßene Senfkörner
1 kräftige Prise geriebene Muskatnuss
4 hartgekochte Eier, geschält und der
   Länge nach halbiert
Salz, schwarzer Pfeffer aus der Mühle

1 Spinat waschen und tropfnass in einen heißen Topf geben. Zusammenfallen lassen und garen, bis die überschüssige Flüssigkeit verdampft ist. Spinat auf ein Sieb geben und mit dem Löffel so viel Flüssigkeit wie möglich herausdrücken. Dann die Spinatblätter mit dem Messer grob hacken.

2 In einem kleinen Topf 2 EL Butter oder Margarine schmelzen. Mehl einrühren und 1 Minute erhitzen. Dann vom Herd nehmen. Milch nach und nach zugießen, dabei ständig rühren. Wieder auf den Herd stellen, aufkochen und 4 Minuten köcheln lassen.

3 Vom Herd nehmen und 50 g geriebenen Käse, Senf, Salz und Pfeffer unterrühren. Grill vorheizen.

4 Restliche Butter in einem weiteren Topf schmelzen, Spinat, Muskat, Salz und Pfeffer zugeben. Unter Rühren erhitzen. Spinat in eine flache feuerfeste Auflaufform füllen, Eihälften darauf anrichten.

5 Mit der Soße begießen, mit dem restlichen Käse bestreuen und unter dem Grill goldbraun überbacken. Nach Belieben mit Paprikapulver bestreuen.

Großer Kartoffelkuchen

Ähnlich wie eine Tortilla zubereitet, ist dieser Kartoffelkuchen eine sättigende schnelle Mahlzeit vor allem für Kinder. Wer mag, serviert grünen Salat dazu.

ZUTATEN

Für 4 Portionen

4 EL Butter oder Öl
1 Zwiebel, fein gehackt
450 g Kartoffeln, gekocht
  und zerstampft
225 g gekochter Kohl oder Rosenkohl,
  fein gehackt
Salz, schwarzer Pfeffer aus der Mühle

1 Die Hälfte der Butter oder des Öls in einer schweren Bratpfanne erhitzen. Zwiebel zugeben, unter Rühren darin glasig anschwitzen.

2 Kartoffeln, Kohl oder Rosenkohl in einer Schüssel mischen, mit Salz und Pfeffer kräftig abschmecken.

3 Gemüse in die Pfanne geben, gut rühren. Dann die Mischung zu einem gleichmässigen Fladen pressen.

4 Bei mittlerer Hitze ca. 15 Minuten braten, bis der Fladen an der Unterseite gebräunt ist.

5 Mit Hilfe eines großen Tellers den Fladen wenden. Restliche Butter oder restliches Öl in die Pfanne geben und den Fladen mit der gebräunten Seite nach oben in die Pfanne gleiten lassen.

6 Kartoffelfladen von der anderen Seite ebenfalls bei mittlerer Hitze ca. 10 Minuten braten. Er ist fertig, wenn die Unterseite goldbraun ist. Heiß servieren, in Kuchenstücke schneiden.

PROFI-TIPP

Wenn Sie keine Reste von gekochtem Kohl oder Rosenkohl übrig haben, können Sie das Rezept auch mit rohem Gemüse zubereiten. Weißkohl raspeln, kurz blanchieren und, wie in Punkt 2 beschrieben, unter die Kartoffeln heben.

Mais-Pfannkuchen

Diese knusprigen Pfannkuchen werden Ihre Kinder garantiert lieben. Auch als Vorspeise mit einem Dip köstlich.

ZUTATEN

Für ca. 12 Stück
115 g Mehl
1 Messerspitze Backpulver
1 Eiweiß
150 ml Magermilch
200 g Mais aus der Dose, abgetropft
Öl zum Bepinseln
Salz, schwarzer Pfeffer
Tomatenchutney zum Servieren

1 Mehl, Backpulver, Eiweiß, Milch und die Hälfte des Maises in der Küchenmaschine oder im Blender zu einer geschmeidigen Masse verarbeiten.

2 Teig kräftig würzen und den restlichen Mais unterrühren.

3 Eine Bratpfanne erhitzen und mit Öl auspinseln. Teig eßlöffelweise hinzugeben und zu kleinen Pfannkuchen braten. Wenden und fertigbraten. Heiß servieren, Tomatenchutney dazu reichen.

KOCH-TIPP

Wenn Sie keine Küchenmaschine oder einen Blender besitzen, das Mehl einfach in eine Schüssel geben, Ei und Milch nach und nach mit einem Holzlöffel gut unterarbeiten.

Gebackene Polenta mit Tomaten

ZUTATEN

Für 4 Portionen
750 ml Brühe
175 g Polenta (grober italienischer Maisgrieß)
4 EL frischer gehackter Salbei
1 TL Olivenöl
2 Fleischtomaten in Scheiben
1 EL geriebener Parmesan
Salz, schwarzer Pfeffer aus der Mühle

1 Brühe in einem großen Topf aufkochen, nach und nach die Polenta einrühren.

2 Polenta bei mittlerer Hitze etwa 5 Minuten weiterrühren, bis sich die Mischung von den Topfwänden löst. Gehackten Salbei einrühren und kräftig mit Salz und Pfeffer würzen. Dann die Polenta in ein leicht gefettetes flaches Backblech (23x33 cm) füllen und auskühlen lassen.

3 Backofen auf 200 Grad vorheizen. Ausgekühlte Polenta in 24 Rechtecke schneiden.

4 Polenta übereinanderlappend in eine leicht gefettete flache Auflaufform füllen. Mit Tomaten belegen, mit Parmesan bestreuen und 20 Minuten backen. Heiß servieren.

VARIANTE

Gehaltvoller wird dieses Gericht, wenn Sie den Parmesan durch Mozzarellascheiben ersetzen, die Sie mit Polenta und Tomatenscheiben mitbacken.

Brokkoli-Blumenkohl-Gratin

Die Kombination aus Brokkoli und Blumenkohl sorgt für ein frisches Farbenspiel. Das Gratin ist mit fettarmem Käse überbacken.

ZUTATEN

Für 4 Portionen

1 kleiner Kopf Blumenkohl (ca. 250 g)
1 kleiner Kopf Brokkoli (ca. 250 g)
150 g fettarmer Naturjoghurt
75 g geriebener fettarmer Gouda
1 TL körniger Senf
2 EL Vollkornsemmelbrösel
Salz, schwarzer Pfeffer aus der Mühle

1 Blumenkohl und Brokkoli in Röschen teilen und in leicht gesalzenem Wasser 8-10 Minuten garen. Gut abtropfen lassen und in eine feuerfeste Form füllen.

2 Joghurt, geriebenen Käse und Senf verrühren. Mit Pfeffer kräftig abschmecken und mit dem Löffel auf dem Gemüse verteilen.

3 Semmelbrösel darüberstreuen und unter dem heißen Grill goldbraun backen. Heiß servieren.

KOCH-TIPP

Beim Vorbereiten den harten Strunk entfernen und das Gemüse in möglichst gleich große Röschen teilen, damit es gleichmäßig gart.

Spinat-Käse-Bällchen

Diese kleinen Bällchen nennt man in
Italien Gnocchi.

ZUTATEN

Für 4 Portionen
175 g kaltes Kartoffelpüree
75 g Weizengrieß
115 TK Blattspinat, aufgetaut,
 ausgedrückt und gehackt
115 g Ricotta
25 g geriebener Parmesan
2 EL verquirltes Ei
$^1/_2$ TL Salz
1 kräftige Prise geriebene Muskatnuss
schwarzer Pfeffer aus der Mühle
2 EL geriebener Parmesan
Basilikum zum Garnieren

Für die Buttersoße
75 g Butter
1 TL geriebene Zitronenschale
1 EL Zitronensaft
1 EL gehacktes frisches Basilikum

1 Alle Zutaten für die Bällchen bis auf
das Basilikum in eine Schüssel geben
und gut verrühren. Mit einem kleinen
Löffel walnussgroße Stücke von der
Masse abstechen und zu Bällchen formen. Zwischen zwei Gabeln platt-
drücken. Etwa 28 Stück formen und auf
ein mit Folie ausgelegtes Blech legen.

2 Wasser in einem großen Topf zum
Kochen bringen, Hitze etwas redu-
zieren und die Bällchen in das siedende
Wasser gleiten lassen. Sie sinken zunächst
nach unten, wenn sie garen, steigen sie
wieder an die Oberfläche. Dann noch
etwa eine Minute ziehen lassen.

3 Mit einer Schöpfkelle die Bällchen
herausheben und in eine leicht
gefettete feuerfeste Form setzen.

4 Spinatbällchen mit Parmesan
bestreuen und bei hoher Hitze etwa
2 Minuten übergrillen, bis der Käse
gebräunt ist. Währenddessen die Butter
zerlaufen lassen. Zitronensaft, -schale,
Basilikum, Salz und Pfeffer unterrühren.

5 Frische Spinatbällchen mit
Buttersoße übergießen. Mit
Basilikum garnieren, heiß servieren.

Käsekartoffeln

Köstlich als Beilage zu einem
Hauptgericht oder etwas Schnelles
für Kinder.

Zutaten

Für 4 Portionen
2 große Kartoffeln, fast gar gekocht und
    abgekühlt
2 EL Sonnenblumenöl
1 Knoblauchzehe, durchgepresst
6 EL geriebener alter Gouda
Salz, schwarzer Pfeffer aus der Mühle

1 Ofen auf 190 Grad vorheizen.
Kartoffeln in 1 cm dicke Scheiben
schneiden, auf einer Seite mit Öl bepinseln. Auf ein Blech legen.

2 Restliches Öl mit Knoblauch, Salz
und Pfeffer verquirlen. Kartoffeln
damit bestreichen.

3 Kartoffeln gleichmäßig mit Käse
bestreuen und 15-20 Minuten
backen, bis der Käse goldbraun ist und
Blasen wirft.

Koch-Tipp

Sie können diese Käsekartoffeln auch
unter dem heißen Grill oder auf einem
Holzkohlegrill zubereiten.

Zucchini und Paprika aus dem Ofen

Zutaten

Für 4 Portionen
4 kleine Zucchini, in Scheiben
1 rote Paprikaschote, geputzt in Streifen
1 EL Olivenöl
1 TL Hasel- oder Walnussöl
5 EL saure Sahne
1-2 EL Milch
1 TL geriebene Limettenschale
2 EL Mandelblättchen
Salz, schwarzer Pfeffer aus der Mühle

1 Zucchini und Paprika in einer
Schüssel mischen. Öle und Gewürze
zugeben und unter das Gemüse mischen,
bis es mit Öl überzogen ist.

2 Backofen auf 180 Grad vorheizen.
Sahne und etwas Milch miteinander
verquirlen. Limettenschale und Gewürze
zugeben und über das Gemüse verteilen.

3 Mit Mandeln bestreuen und 30
Minuten backen, bis das Gemüse gar
ist und die Oberfläche goldbraun.

Koch-Tipp

Sättigender wird's, wenn Sie das Gemüse
mit einer Schicht gekochter Kartoffelscheiben und Käsesoße statt mit Sour
Cream und Limette bedecken.

Bulgur-Linsen-Pilaw

Bulgur ist sehr einfach zu kochen und kann genau wie Reis verwendet werden – heiß oder kalt. Feinere Sorten benötigen nur ganz kurze Kochzeiten. Beachten Sie immer die Packungsangaben.

Zutaten

für 4 Portionen

1 TL Olvienöl
1 große Zwiebel, in feinen Ringen
2 Knoblauchzehen, durchgepresst
1 TL gemahlener Koriander
1 TL gemahlener Kümmel
1 TL gemahlenes Kurkuma
$1/2$ TL gemahlener Piment
225 g Bulgur (Weizenschrot)
750 ml Brühe oder Wasser
115 g Champignons, je nach Größe
  halbiert oder geviertelt
115 g grüne Linsen
Salz, schwarzer und Cayennepfeffer

1 Öl in einer beschichten Pfanne erhitzen. Zwiebeln, Knoblauch und Gewürze unter Rühren 1 Minute braten.

2 Bulgur einrühren und unter Rühren 2 Minuten miterhitzen, bis er leicht gebräunt ist. Mit Brühe oder Wasser ablöschen, Pilze und Linsen zugeben.

3 Bei sehr schwacher Hitze 25-30 Minuten köcheln, bis Bulgur und Linsen gar sind und die Flüssigkeit vollständig absorbiert ist. Wenn nötig, mehr Brühe oder Wasser zugeben.

4 Kräftig mit Salz, Pfeffer und Cayenne würzen, heiß servieren.

Koch-Tipp

Grüne Linsen können ohne Einweichen gekocht werden. Sie sind relativ schnell gar und behalten ihre Form. Vorher eingeweicht, benötigen sie eine etwas kürzere Kochzeit.

Variante

Sie können dieses Gericht auch mit Naturreis zubereiten. Ersetzen Sie Bulgur durch die gleiche Menge Reis. Wenn Sie mögen, rühren Sie gegen Ende der Garzeit 300 g süßen Mais unter.

Kartoffelpuffer mit Ziegenkäse

ZUTATEN

Für 4 Portionen

450 g Kartoffeln
2 TL gehackter frischer Thymian
1 Knoblauchzehe, durchgepresst
2 Frühlingszwiebeln, fein gehackt
  (mit grünen Teilen)
2 EL Olivenöl
4 EL ungesalzene Butter
2 kleine Ziegenfrischkäse (z.B. Crottin
  de Chavignol; à 65 g)
Salz, schwarzer Pfeffer aus der Mühle
einige Salatblätter, z. B. Endivie, Lollo
  Rosso, Frisée oder Radicchio, in
  Walnussdressing gewälzt
Thymianzweige zum Garnieren

1 Kartoffeln schälen und grob raspeln.
Mit den Händen überschüssige
Feuchtigkeit auspressen. Dann Thymian,
Knoblauch, Frühlingszwiebeln und
Gewürze vorsichtig untermischen.

2 Die Hälfte des Öls und der Butter
in einer beschichteten Pfanne erhitzen. 2 große Löffel der Kartoffelmasse
hineingeben und mit einem Holzlöffel
flachdrücken. Von jeder Seite 3-4
Minuten goldbraun backen.

3 Kartoffelpuffer auf Küchenpapier
abtropfen lassen und im Ofen
warmhalten. Zwei weitere Puffer auf die
gleiche Art braten und in der
Zwischenzeit den Grill vorheizen.

4 Ziegenkäse waagerecht halbieren
und auf jeden Kartoffelpuffer eine
Käsehälfte (Schnittseite nach oben) setzen. 2-3 Minuten goldbraun übergrillen.
Auf vier Tellern anrichten und mit dem
Salat garnieren. Mit Thymianblättchen
bestreuen und sofort servieren.

Spaghetti mit Kräutersoße

Einfach nur Olivenöl und frische Kräuter. Das genügt, um aus Spaghetti ein kulinarisches Erlebnis zu machen.

ZUTATEN

Für 4 Portionen

50 g gehackte gemischte
  frische Kräuter wie Petersilie,
  Thymian, Basilikum
2 Knoblauchzehen, durchgepresst
4 EL Pinienkerne, geröstet
150 ml Olivenöl
350 g Spaghetti
4 EL frisch geriebener Parmesan
Salz, schwarzer Pfeffer
Basilikum zum Garnieren

1 Kräuter, Knoblauch und die Hälfte der Pinienkerne in eine Küchenmaschine geben. Bei laufender Maschine, Öl nach und nach zugeben und mixen.

2 Spaghetti in reichlich Salzwasser nach Packungsanweisung al dente kochen. Gut abtropfen lassen.

3 Kräutersoße in eine große angewärmte Schüssel geben. Dann Spaghetti und Parmesan zugeben. Gut mischen, bis alle Nudeln mit Soße benetzt sind. Mit restlichen Pinienkernen und Basilikum bestreuen und sofort servieren.

Pfannengerührtes Gemüse mit Omelettestreifen

Sesamöl hat ein ganz besonderes Aroma. In der orientalischen Küche wird es häufig als spezielle Würze benutzt.

ZUTATEN

Für 3-4 Portionen

2 Stangen Sellerie
2 Möhren
2 kleine Zucchini
4 Frühlingszwiebeln
1 Bund Radieschen
2 Eier
1-2 EL Schnittlauchröllchen
2 EL Erdnußöl
1 Knoblauchzehe, gehackt
1 haselnussgroßes Stück frischer
  Ingwer, gehackt
115 g Sojasprossen
1/4 Kopf Chinakohl, in Streifen
Sesamöl zum Abschmecken
Salz, schwarzer Pfeffer aus der Mühle

1 Sellerie, Möhren, Zucchini und Frühlingszwiebeln in feine Streifen schneiden. Radieschen in halbe Scheiben schneiden. Beiseite stellen.

2 Eier, Schnittlauchröllchen, Salz und Pfeffer in einer Schüssel verquirlen. 1 TL Öl in einer Pfanne erhitzen und soviel Eimasse hineinfüllen, dass der Boden bedeckt ist. 1 Minute garen, bis das Omelette fest ist. Dann wenden und auf der anderen Seite eine weitere Minute braten.

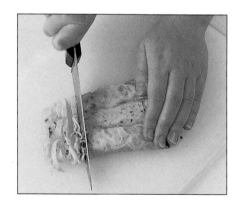

3 Omelette auf einen Teller legen und aus der restlichen Eimasse weitere Pfannkuchen braten. Soviel Öl wie nötig zugeben. Omelettes aufrollen und in dünne Streifen schneiden. Omelettes im Ofen warmhalten bis sie wieder benötigt werden.

4 Restliches Öl in einem Wok oder einer Pfanne erhitzen. Knoblauch und Ingwer zugeben. Das Öl einige Sekunden damit aromatisieren.

5 Sellerie-, Möhren- und Zucchinistreifen zugeben und unter Rühren 1 Minute braten. Radieschen, Sojasprossen, Frühlingszwiebeln und Chinakohl zugeben und 2-3 Minuten bissfest andünsten. Gemüse mit wenigen Tropfen Sesamöl beträufeln und gut vermischen.

6 Das Pfannengerührte gemischte Gemüse mit Omelettestreifen bestreut servieren.

Tomaten-Risotto

Flaschentomaten sind für dieses Rezept ideal. Sie schmecken fruchtig
und haben festes Fleisch.

ZUTATEN

Für 4 Portionen
675 g reife feste Tomaten, am besten
    Flaschentomaten
4 EL Butter
1 Zwiebel, fein gehackt
ca. 1,2 l Gemüsebrühe
275 g Arborioreis (Risottoreis)
1 Dose (400 g) Cannellini-Bohnen,
    abgetropft
50 g Parmesan, fein gerieben
Salz, schwarzer Pfeffer aus der Mühle
10-12 Basilikumblätter und
    Parmesanhobel zum Servieren

1 Tomaten halbieren und die Kerne in
ein Sieb über einer Schüssel geben.
Mit einem Löffel die Flüssigkeit herausdrücken und auffangen. Beiseite stellen.

2 Tomaten mit der Hautseite nach
oben grillen, bis diese schwarz wird,
dann entfernen. Tomaten würfeln.

3 Butter in einem großen Topf
schmelzen. Zwiebel zugeben und
darin glasig dünsten. Tomaten und Saft
zugeben, würzen und unter gelegentlichem Rühren 10 Minuten köcheln
lassen.

4 Währenddessen in einem anderen
Topf die Brühe aufkochen.

5 Reis zu den Tomaten geben und
unter Rühren andünsten. Mit einer
Kelle voll Brühe ablöschen. Rühren, bis
die Flüssigkeit vom Reis aufgesogen ist.
So fortfahren, bis alle Brühe vom Reis
aufgenommen und der Reis cremig ist.

6 Canellini-Bohnen und Parmesan
unterheben und einige Minuten
durcherhitzen.

7 Vor dem Servieren das Risotto mit
Basilikumstreifen und gehobeltem
Parmesan bestreuen.

Penne mit Frühlingsgemüse

ZUTATEN

Für 4 Portionen

115 g Brokkoliröschen
115 g kleine Lauchstangen
225 g grüner Spargel
1 kleine Fenchelknolle
115 g Erbsen, frisch oder tiefgefroren
3 EL Butter
1 Schalotte, gehackt
3 EL gehackte, frische Kräuter,
  zum Beispiel Petersilie, Thymian
  und Salbei
300 ml Sahne
350 g Penne
Salz, schwarzer Pfeffer aus der Mühle
frisch geriebener Parmesan

1 Brokkoliröschen zerpflücken. Lauch und Spargel diagonal in 5 cm lange Stücke schneiden. Fenchel putzen, von den äußeren Blättern harte Fasern entfernen. Fenchel in Scheiben schneiden, dabei den Strunk stehen lassen, sodass die Stücke nicht zerfallen.

2 Alle Gemüsesorten nacheinander in kochendem Salzwasser bissfest garen. In einem Sieb gut abtropfen lassen und warm halten.

3 Butter in einem zusätzlichen Topf schmelzen, gehackte Schalotte darin unter Rühren glasig dünsten. Kräuter und Sahne einrühren und einige Minuten köcheln, bis die Flüssigkeit etwas eingedickt ist.

4 In der Zwischenzeit die Nudeln in reichlich kochendem Salzwasser nach Packungsanweisung bissfest kochen und abgießen. Zum Gemüse geben, gut mischen und kräftig mit Pfeffer würzen.

5 Heiß servieren, mit frisch geriebenem Parmesan bestreuen.

Makkaronisalat mit Brokkoli

ZUTATEN

für 4 Portionen

7 EL Olivenöl

1 rote Paprikaschote, geviertelt, entkernt und in feine Streifen geschnitten

1 Zwiebel, halbiert und in dünne Ringe geschnitten

1 TL getrockneter Thymian

3 EL Sherryessig

450 g kleine Nudeln wie kurze Makkaroni oder Penne

2 Dosen (à 175 g) Artischockenherzen, abgetropft und geviertelt

20-25 schwarze Oliven, entsteint und in Streifen geschnitten

2 El gehackte frische Petersilie

Salz, schwarzer Pfeffer aus der Mühle

1 In einer beschichteten Pfanne 2 EL Öl erhitzen. Paprikaschote und Zwiebel darin bei schwacher Hitze 8-10 Minuten unter gelegentlichem Rühren anschwitzen.

2 Thymian, Salz und Essig zugeben. Unter Rühren 30 Sekunden weiterdünsten, dann beiseite stellen.

3 Reichlich Salzwasser in einem großen Topf zum Kochen bringen. Nudeln nach Packungsanweisung darin bissfest garen. Abtropfen lassen und in eine große Schüssel füllen. 2 EL Öl zugeben und gut mischen bis alle Nudeln mit Öl benetzt sind.

4 Artischocken, Brokkoli, Oliven, Petersilie, Zwiebeln, Paprika und das restliche Öl zugeben. Mit Salz und Pfeffer abschmecken. Alles gut mischen. Mindestens eine Stunde durchziehen lassen oder über Nacht kühl stellen.

Zwiebelkuchen mit Thymian

ZUTATEN

Für 4 Portionen

2 EL Butter oder Olivenöl
2 Zwiebeln, in dünnen Ringen
$^{1}/_{2}$ TL frischer oder getrockneter
   Thymian
1 Ei
120 ml saure Sahne oder Joghurt
2 TL Mohnsamen
1 kräftige Prise Muskat
Salz, schwarzer Pfeffer

Für den Teig

115 g Mehl
1 $^{1}/_{4}$ TL Backpulver
$^{1}/_{2}$ TL Salz
3 EL kalte Butter
6 EL Milch

1 Butter oder Öl in einer mittelgroßen Pfanne erhitzen. Zwiebeln
zugeben und 10-12 Minuten glasig dünsten. Mit Thymian, Salz und Pfeffer würzen. Vom Herd nehmen und abkühlen
lassen. Ofen auf 220 Grad vorheizen.

2 Für den Teig Mehl, Backpulver und
   Salz in eine Schüssel sieben. Butter
mit den Knethaken oder zwei Messern
unterarbeiten bis die Mischung krümelig
wird. Milch zugeben und mit einem
Holzlöffel leicht einrühren, bis sich alle
Zutaten zu einem Teig verbinden.

3 Teig auf einer mit Mehl bestäubten
   Arbeitsfläche leicht kneten.

4 Teig zu einem Kreis (20 cm
   Durchmesser) ausrollen. Eine
Springform mit dem Teig auslegen.
Gleichmäßig andrücken. Die Zwiebeln
darauf verteilen.

5 Ei, saure Sahne oder Joghurt verquirlen. Gleichmäßig auf die
Zwiebeln gießen. Mit Mohnsamen und
Muskat bestreuen. Etwa 25-30 Minuten
backen, bis der Eischaum luftig goldbraun aufgegangen ist.

6 Zwiebelkuchen 10 Minuten in der
   Form abkühlen lassen. Mit einem
Messer rundherum lösen. Dann auf
einen Teller heben. In Stücke schneiden
und warm servieren.

Lauch-Zucchini-Omelette

Ein locker-luftiges Gemüsegericht, das ganz schön satt macht. Schmeckt auch lecker mit Pilzen, Paprika oder Mais.

ZUTATEN

Für 4 Portionen

3 EL Butter
1 Lauchstange, fein gehackt
2 große oder 4 mittlere Zucchini, geputzt und grob geraspelt
2 EL Mehl
150 ml Milch
1 TL Senf
1 EL Frischkäse
1 EL gehacktes frisches Basilikum
1 TL Kümmelsamen (nach Belieben)
3 Eier, getrennt
Salz, schwarzer Pfeffer aus der Mühle

1 Butter in einer mittelgroßen Pfanne schmelzen. Lauch zugeben und unter Rühren 2 Minuten andünsten. Zucchini und Mehl zugeben und unter Rühren weitere 2 Minuten dünsten.

2 Milch nach und nach zugießen, aufkochen und unter Rühren weitere 2 Minuten erhitzen. Dann die Pfanne vom Herd nehmen.

3 Mit Salz, Pfeffer und Senf würzen. Frischkäse, Basilikum und nach Belieben Kümmel unterrühren. Eigelb einrühren. Backofen auf 190 Grad vorheizen.

4 Eiweiß steif schlagen, bis sich feste Spitzen bilden. Eischnee mit einem Metalllöffel vorsichtig unter die Zucchinimischung heben.

5 In eine kleine Kasserolle oder eine feuerfeste Form füllen. 30-35 Minuten backen, bis das Omelette schön aufgegangen ist. Sofort servieren.

Ratatouille

ZUTATEN

Für 4 Portionen

2 große Auberginen, grob gehackt

4 Zucchini, grob gehackt

150 ml Olivenöl

2 Zwiebeln, in Spalten geschnitten

2 Knoblauchzehen, gehackt

1 große rote Paprikaschote, entkernt und grob gehackt

2 große gelbe Paprikaschoten, entkernt und grob gehackt

frischer Rosmarin

frischer Thymian

1 TL Koriandersamen, zerstoßen

3 Tomaten, gehäutet, entkernt und gehackt

8 Basilikumblätter, in Streifen

Salz, schwarzer Pfeffer

frische Petersilie oder Basilikum zum Garnieren

1 Auberginen und Zucchini mit Salz bestreuen, in einen Durchschlag geben und mit einem Teller beschweren, um die bitteren Säfte herauszuziehen. Etwa 30 Minuten stehen lassen.

2 Olivenöl in einem großen Topf erhitzen. Zwiebeln zugeben und 6-7 Minuten sanft anbraten. Dann den Knoblauch zugeben und weitere 2 Minuten braten.

3 Auberginen und Zucchini abspülen und mit Küchenpapier abtupfen. Auberginen, Zucchini und Paprika in die Pfanne geben, hochschalten und sautieren, bis die Paprika bräunen.

4 Kräuter und Koriandersamen zugeben, Pfanne abdecken und 40 Minuten sanft schmoren lassen.

5 Tomaten zugeben und kräftig abschmecken. Weitere 10 Minuten köcheln lassen, bis das Gemüse weich, aber nicht verkocht ist. Kräuterstiele entfernen. Basilikum unterrühren, abschmecken. Abkühlen lassen. Warm oder kalt und mit frischen Kräutern servieren.

FÜR JEDEN TAG

Vor allem aus der Mittelmeerküche kommen unzählige Anregungen für eine frischebetonte, abwechslungsreiche Alltagsküche. Egal, ob Sie für die Familie oder Freunde kochen. Sie haben die Wahl zwischen internationalen traditionellen Rezepten aus Italien, Griechenland und den arabischen Ländern oder der modernen vegetarischen Alltagsküche mit Rezepten wie „Gebackener Squash mit Parmesan" oder „Spinat-Haselnuss-Lasagne".

Spinat-Haselnuss-Lasagne

So herzhaft, dass auch Fleischesser dabei auf den Geschmack kommen. Wenn's schnell gehen soll, nehmen Sie Tiefkühlspinat.

ZUTATEN 🍎

Für 4 Portionen

900 g frischer Spinat
300 ml Gemüsebrühe
1 mittelgroße Zwiebel, fein gehackt
1 Knoblauchzehe, durchgepresst
75 g Haselnüsse
2 EL gehacktes frisches Basilikum
6 Lasagneblätter
400 g Tomatenwürfel aus der Dose
200 g fettarmer Frischkäse
Haselnussblättchen und Petersilie zum
   Garnieren

1 Backofen auf 200 Grad vorheizen. Spinat waschen und tropfnass in einem heißen Topf zusammenfallen lassen. Bei starker Hitze 2 Minuten dämpfen. Dann gut abtropfen lassen.

2 In einem großen Topf 2 EL Brühe erhitzen. Zwiebel und Knoblauch darin weichdünsten. Spinat, Haselnüsse und Basilikum zugeben.

3 Spinat, Lasagneblätter und Tomaten abwechselnd in eine große feuerfeste Auflaufform einschichten. Restliche Brühe darüber gießen. Frischkäse darüber bröckeln.

4 Lasagne etwa 45 Minuten backen. Die Oberfläche sollte goldbraun sein. Streifenweise mit Haselnussblättchen und Petersilie bestreuen.

KOCH-TIPP

Rösten unterstreicht das Aroma der Nüsse. Auf ein Backblech auslegen. Während des Aufheizens rösten.

Cannelloni mit Brokkoli und Ricotta

ZUTATEN

Für 4 Portionen

12 Cannelloni zum Füllen
   (Länge: etwa 7,5 cm)
450 g Brokkoliröschen
75 g frische Semmelbrösel
150 ml Milch
4 EL Olivenöl plus ein wenig zum
   Auspinseln der Form
225 g Ricotta (italienischer Frischkäse)
1 Prise geriebene Muskatnuss
6 EL geriebener Parmesan oder
   Pecorino (ersatzweise alter Gouda)
Salz, schwarzer Pfeffer
2 EL Pinienkerne zum Bestreuen

Für die Tomatensoße

2 EL Olivenöl
1 Zwiebel, fein gehackt
1 Knoblauchzehe, durchgepresst
2 Dosen à 400 g Tomatenwürfel
1 EL Tomatenmark
4 schwarze Oliven, entsteint, gehackt
1 TL getrockneter Thymian

1 Backofen auf 190 Grad vorheizen
und eine feuerfeste Form mit wenig
Öl auspinseln. Reichlich Salzwasser in
einem großen Topf zum Kochen bringen
und die Cannelloni darin 6-7 Minuten
vorkochen, bis sie fast gar sind.

2 Währenddessen den Brokkoli ca. 10
Minuten kochen oder dämpfen, bis
er weich ist. Pasta abtropfen lassen und
beiseite stellen. Brokkoli etwas abkühlen
lassen. Dann mit dem Pürierstab oder in
einer Küchenmaschine durchmixen und
beiseite stellen.

3 Semmelbrösel mit Milch und Öl
gut verrühren und etwas quellen lassen. Ricotta, Brokkolipüree, Muskat, 4
EL geriebenen Käse und Gewürze
unterrühren und beiseite stellen.

4 Für die Soße Öl in einer Pfanne
erhitzen, Zwiebeln und Knoblauch
zugeben. 5-6 Minuten glasig dünsten,
dann Tomaten, Tomatenmark, Oliven,
Thymian und Gewürze einrühren. Rasch
2-3 Minuten kochen lassen, dann in die
feuerfeste Form füllen.

5 Käsemischung in einen Spritzbeutel
mit 1 cm breiter Tülle füllen.
Cannelloni aufrecht auf ein Brett stellen
und vorsichtig öffnen. Mit der Käsemischung füllen und nebeneinander in
das Soßenbett legen.

6 Oberseite der Pasta mit etwas Öl
bepinseln, restlichen Parmesan und
Pinienkerne darüber streuen. Im
Backofen etwa 25-30 Minuten goldbraun überbacken.

Makkaroni-Lauch-Auflauf

Lauch macht diesen bei Kindern so beliebten Nudelauflauf noch würziger.

ZUTATEN

Für 4 Portionen

175 g kurze Makkaroni
4 EL Butter
4 Lauchstangen, gehackt
4 EL Mehl
750 ml Milch
200 g geriebener mittelalter Gouda oder
  Cheddar
3 EL frische Semmelbrösel
Salz, schwarzer Pfeffer

KOCH-TIPP

Würzen Sie die Soße auch mal mit Senfkörnern oder gehackten Kräutern wie Petersilie, Schnittlauch oder Thymian.

1 Backofen auf 200 Grad vorheizen. Makkaroni nach Packungsanweisung in reichlich kochendem Salzwasser garen, abtropfen lassen.

2 Butter in einem kleinen Topf schmelzen. Lauch darin unter gelegentlichem Rühren 4 Minuten dünsten. Mehl darüber stäuben, eine weitere Minute erhitzen, vom Herd nehmen.

3 Nach und nach die Milch zugießen, wieder auf den Herd stellen und unter Rühren aufkochen. 3 Minuten sanft köcheln lassen.

4 Vom Herd nehmen, Makkaroni und fast den gesamten Käse unterheben, mit Salz und Pfeffer abschmecken. Mischung in eine feuerfeste Form füllen. Semmelbrösel und restlichen Käse mischen und über den Auflauf streuen. 20-25 Minuten backen, bis die Käsekruste goldbraun ist.

Brokkoli-Soufflé mit Stilton

Sie können für dieses Gericht auch Blumenkohl verwenden oder ihn mit Brokkoli mischen.

ZUTATEN

Für 4 Portionen

675 g Brokkoli
4 Eier, getrennt
115 g Blue Stilton (oder anderer
  Blauschimmelkäse), zerbröckelt
2 TL körniger oder
  franzöischer Senf
Salz, schwarzer Pfeffer aus der Mühle

1 Backofen auf 190 Grad vorheizen. Eine Souffléform (19 cm) sorgfältig ausbuttern.

2 Brokkoli in kochendem Salzwasser garen. Auf einem Sieb gut abtropfen lassen, beiseite stellen und etwas abkühlen lassen.

3 Brokkoli in eine Küchenmaschine füllen, Eigelb zugeben und pürieren. Mischung in eine Schüssel geben und den Käse unterrühren. Mit Senf, Salz und Pfeffer abschmecken.

4 Eiweiß mit dem Handrührgerät ziemlich steif schlagen. Dann in drei Portionen vorsichtig unter die Brokkolimasse heben. In die Souffléform füllen und etwa 35 Minuten backen, bis das Soufflé aufgegangen, in der Mitte etwas abgeflacht und goldbraun ist.

Mais-Bohnen-Tamales

ZUTATEN

Für 4 Portionen

2 Maiskolben
2 EL Pflanzenöl
1 Zwiebel, gehackt
2 Knoblauchzehen, durchgepresst
1 rote Paprikaschote, entkernt, gewürfelt
2 grüne Chilischoten, entkernt, gehackt
2 TL gemahlener Kümmel
450 g reife Tomaten, gehäutet, entkernt und gewürfelt
1 EL Tomatenmark
1 Dose (425 g) Kidneybohnen, abgetropft und abgespült
1 EL frischer Oregano, gehackt
Oregano zum Garnieren

Für das Topping

115 g Polenta (Maisgrieß)
1 EL Mehl
$^1/_2$ TL Salz
2 TL Backpulver
1 Ei, leicht verquirlt
100 ml Milch
1 EL Butter, geschmolzen
50 g Gruyère, gerieben

1 Backofen auf 220 Grad vorheizen. Vom Maiskolben die Hüllblätter und langen Fasern entfernen, dann in kochendem ungesalzenem Wasser 8 Minuten vorkochen. Abtropfen und abkühlen lassen, bis man die Kolben anfassen kann. Dann mit einem scharfen Messer die Körner ablösen.

2 Öl in einem großen Topf erhitzen und Zwiebel, Knoblauch und Paprika darin 5 Minuten andünsten. Chili und Kümmel 1 Minute mitbraten.

3 Tomaten, -mark, Bohnen, Mais und Oregano unterrühren. Mit Salz und Pfeffer würzen. Aufkochen und im offenen Topf 10 Minuten köcheln lassen.

4 Währenddessen für das Topping Polenta, Mehl, Backpulver, Salz, Ei, Milch und Butter in einer Schüssel zu einem dickflüssigen Teig verrühren.

5 Mais-Bohnen-Mischung in eine feuerfeste Form füllen und gleichmäßig mit der Polentamischung bedecken. 30 Minuten backen. Aus dem Ofen nehmen, mit dem Käse bestreuen und nochmals im Ofen 5-10 Minuten goldbraun überbacken.

Gemüse-Chili

ZUTATEN

Für 8 Portionen

50 ml Olivenöl oder Pflanzenöl

2 Zwiebeln, gehackt

75 g Sellerie in feinen Streifen

2 Möhren, in 1 cm große Würfel
  geschnitten

2 Knoblauchzehen, durchgepresst

$1/2$ TL Selleriesamen

$1/4$ TL Cayennepfeffer

1 TL gemahlener Kümmel

1 TL Chilipulver

425 g gehackte Dosentomaten mit Saft

250 ml Gemüsebrühe oder Wasser

$1/2$ TL frischer oder getrockneter
  Thymian

1 Lorbeerblatt

350 g Blumenkohlröschen

3 Zucchini, gewürfelt

300 g Mais aus der Dose, abgetropft

425 g Kideney- oder Pintobohnen aus
  der Dose, abgetropft

Tabasco, nach Belieben

Salz

1 Öl in einer feuerfesten Kasserolle
oder schweren Pfanne erhitzen.
Zwiebeln, Sellerie, Möhren und Knoblauch zugeben. Kasserolle abdecken und
bei schwacher Hitze 8-10 Minuten
köcheln lassen, bis die Zwiebeln gar
sind. Dabei ab und zu umrühren.

2 Selleriesamen, Cayenne, Kümmel
und Chili unterrühren. Gut mischen.
Tomaten, Brühe oder Wasser, Salz, Thymian und Lorbeerblatt zugeben. Rühren.
Im offenen Topf 15 Minuten kochen.

3 Blumenkohl, Zucchini und Mais
zugeben. Zugedeckt weitere 15
Minuten köcheln.

4 Kidney- oder Pintobohnen zugeben,
gut verrühren und 10 Minuten ohne
Deckel weiterkochen. Abschmecken und
nach Belieben mit Tabasco würzen. Dazu
passen Reis, Ofenkartoffeln oder türki-
sches Fladenbrot.

Gemüsebänder

So kriegen Sie auch Gemüsehasser an den Tisch.

Zutaten 🍎

Für 4 Portionen

3 mittelgroße Möhren
3 mittelgroße Zucchini
120 ml Gemüsebrühe
2 EL gehackte, frische Petersilie
Salz, schwarzer Pfeffer aus der Mühle

1 Gemüse mit einem Sparschäler der Länge nach in dünne Scheiben (Bänder) schneiden.

2 Brühe in einem großen Topf aufkochen und die Möhren zugeben. Aufkochen und dann die Zucchini zugeben. Rasch aufkochen, 2–3 Minuten kochen lassen bis die Gemüsebänder gar sind.

3 Petersilie untermischen, sanft abschmecken und heiß servieren.

> **KOCH-TIPP**
>
> Im Sommer, wenn reichlich Kräuter angeboten werden, können Sie ausprobieren, mit Thymian oder Schnittlauch zu variieren.

Veggie-Burger

Zutaten 🍎

Für 4 Portionen

115 g Champignons, fein gehackt
1 kleine Zwiebel, gehackt
1 kleine Zucchini, gehackt
1 Möhre, gehackt
25 g Erdnüsse oder Cashewkerne, ungesalzen
115 g frische Semmelbrösel
2 EL frische Petersilie, gehackt
1 TL Trockenhefe
Salz, schwarzer Pfeffer aus der Mühle
zarte Haferflocken oder Mehl

1 Pilze ohne Öl in einer beschichteten Pfanne 8–10 Minuten braten, bis die enthaltene Flüssgkeit ganz verdampft ist.

2 Zwiebel, Zucchini, Möhre und Nüsse in einer Küchenmaschine hacken, bis sich die Zutaten verbinden.

3 Pilze, Semmelbrösel, Petersilie und Hefe untermischen. Abschmecken. Mit Haferflocken oder Mehl bestäubt zu flachen Klopsen formen. Kühlen.

4 Burger in einer beschichteten Pfanne mit sehr wenig Öl 8-10 Minuten braten oder unter dem heißen Grill rösten. Wenden und goldbraun fertigbraten. Heiß servieren, dazu einen knackigen Salat reichen.

> **KOCH-TIPP**
>
> Sie können die Burger schon am Vortag zubereiten. Auf einem Teller oder Blech auslegen, mit Folie bedecken und kühlen. Dann müssen Sie sie nur noch braten.

Auberginen-Lasagne

Zutaten

Für 4 Portionen

3 Auberginen, in Scheiben geschnitten
5 EL Olivenöl
2 große Zwiebeln, fein gehackt
2 Dosen à 400 g Tomatenwürfel
1 TL getrocknete gemischte Kräuter
2-3 Knoblauchzehen, durchgepresst
6 Lasagneblätter ohne Vorkochen
Salz, schwarzer Pfeffer

Für die Käsesoße

2 EL Butter
2 EL Mehl
300 ml Milch
1/2 TL Senf
115 geriebener alter Gouda
1 EL geriebener Parmesan

1 Auberginenscheiben lagenweise in ein Sieb schichten. Jede Lage mit Salz bestreuen. 1 Stunde ziehen lassen, dann abspülen und trockentupfen.

2 4 EL Öl in einer großen Pfanne erhitzen. Auberginenscheiben darin braten und auf Küchenpapier abtropfen lassen. Restliches Öl in die Pfanne geben, Zwiebeln und Knoblauch darin andünsten. Tomaten und Kräuter zugeben, würzen und 30 Minuten schmoren.

3 Währenddessen die Käsesoße zubereiten. Butter in einem Topf schmelzen, Mehl einrühren und binden lassen. Nach und nach die Milch zugießen. Unter Rühren aufkochen und 2 Minuten köcheln. Vom Herd nehmen. Senf, Käse und Gewürze unterrühren.

4 Ofen auf 200 Grad vorheizen. Hälfte der Auberginen in eine feuerfeste Form legen. Darauf die Hälfte der Tomatensoße geben. Mit drei Lasagneblättern bedecken. Mit den restlichen Zutaten genauso verfahren.

5 Käsesoße auf dem Auflauf verteilen. Zugedeckt 30 Minuten backen. Für die letzten 10 Minuten offen backen, um die Kruste zu bräunen.

Einfrier-Hinweis

Die Lasagne können Sie prima einfrieren. Nur 20 Minuten backen, abkühlen lassen, einfrieren. Dann bei 170 Grad nochmals 20 Minuten backen, plus 10 Minuten bei 200 Grad zum Bräunen.

Calzone

ZUTATEN

Für 4 Stück
450 g Mehl
1 Prise Salz
1 Beutel Trockenhefe
ca. 350 ml warmes Wasser

Für die Füllung
1 TL Olivenöl
1 rote Zwiebel, in dünne Ringe
  geschnitten
3 Zucchini, in Scheiben geschnitten
2 große Tomaten, gewürfelt
150 g Mozzarella, in Würfel geschnitten
1 EL gehackter frischer Oregano
Magermilch zum Bestreichen
Salz, schwarzer Pfeffer

1 Für den Teig Mehl und Salz in eine
Schüssel sieben, Hefe untermischen.
Soviel warmes Wasser unterrühren, dass
ein geschmeidiger Teig entsteht.

2 Teig 5 Minuten kneten. Zugedeckt
an einem warmen Ort ca. 1 Stunde
auf doppelte Größe gehen lassen.

3 Für die Füllung in der Zwischenzeit
das Öl erhitzen, Zwiebeln und
Zucchini unter Rühren 3-4 Minuten
anbraten. Vom Herd nehmen, Tomaten,
Käse, Oregano und Gewürze zugeben.

4 Ofen auf 220 Grad vorheizen. Teig
durchkneten und in vier Portionen
teilen. Jede Portion auf bemehlter
Arbeitsfläche zu einem Kreis mit 20 cm
Durchmesser formen. Ein Viertel der
Füllung daraufgeben.

5 Ränder mit der Milch bestreichen,
zusammenklappen und die Ränder
gut festdrücken. Nochmals bestreichen.

6 Calzone auf einem gefetteten Blech
15-20 Minuten backen.

KOCH-TIPP
Nicht zuviel Wasser an den Teig geben.
Sonst ist es schwierig, ihn auszurollen.
Der Teig sollte geschmeidig, aber nicht
klebrig sein.

Nudeln mit Kichererbsen-Soße

ZUTATEN 🍎

Für 4 Portionen

300 g kurze Nudeln
1 TL Olivenöl
1 kleine Zwiebel, fein gehackt
1 Knoblauchzehe, durchgepresst
1 Stange Sellerie, fein gehackt
425 g Kichererbsen (Dose), abgetropft
250 ml passierte Tomaten
Salz, schwarzer Pfeffer
gehackte frische Petersilie

1 Olivenöl in einer beschichteten Pfanne erhitzen. Zwiebeln, Knoblauch und Sellerie glasig andünsten. Kichererbsen und Tomaten unterrühren. Mit Deckel 15 Minuten köcheln lassen.

2 Nudeln in reichlich kochendem Salzwasser nach Packungsanweisung bissfest garen. Abgießen und unter die Gemüsesoße mischen. Mit Salz und Pfeffer abschmecken. Mit Petersilie bestreut servieren.

VARIANTE

Statt der Kichererbsen können Sie auch gemischte Bohnen oder Kidneybohnen verwenden. Alle Sorten sind in Dosen erhältlich.

Pizza mit Paprika

ZUTATEN 🍎

Für 2 große Pizzas

450 g Mehl
1 Prise Salz
1 Beutel Trockenhefe
ca. 350 ml warmes Wasser

Für den Belag

1 Zwiebel, in Ringe geschnitten
2 TL Olivenöl
je 2 große rote und gelbe
    Paprikaschoten, entkernt, in Streifen
    geschnitten
1 Knoblauchzehe, durchgepresst
400 g Tomaten aus der Dose
8 schwarze Oliven, entsteint, halbiert
Salz, schwarzer Pfeffer

KOCH-TIPP

Wenn Tomaten Saison haben, sollten Sie lieber frische statt Dosenware verwenden. Sie brauchen dann 350 g Tomaten. Tauchen Sie sie kurz in kochendes Wasser, dann häuten und grob in Stücke schneiden.

1 Für den Teig das Mehl und Salz in eine Schüssel sieben. Hefe untermischen und soviel warmes Wasser zugießen, bis ein weicher Teig entsteht.

2 Teig etwa 5 Minuten weichkneten. Bedeckt an einem warmen Ort 1 Stunde auf doppelte Größe gehen lassen.

3 Für den Pizzabelag Zwiebeln im Öl andünsten, dann Paprika, Knoblauch und Tomaten zugeben. Zugedeckt 30 Minuten köcheln. Mit Salz und Pfeffer pikant abschmecken.

4 Backofen auf 220 Grad vorheizen. Teig halbieren und auf einem gefetteten Blech zu zwei Kreisen (28 cm Durchmesser) formen. Ecken leicht hochdrücken.

5 Belag auf den zwei Böden verteilen. Oliven darauf setzen und 15-20 Minuten backen. Dazu Salat reichen.

Orientalischer Gemüsetopf

Ein würziges Rezept mit vielerlei Gemüse, sättigend durch Kichererbsen. Für Kinder weniger scharf abschmecken.

ZUTATEN 🍎

Für 4-6 Portionen

3 EL Gemüsebrühe
1 grüne Paprikaschote, in Streifen
2 Zucchini, in Scheiben
2 Möhren, in Scheiben
2 Selleriestangen, in Ringen
2 Kartoffeln, gewürfelt
400 g gehackte Tomaten aus der Dose
1 TL Chilipulver
2 EL gehackte frische Minze
1 EL gemahlener Kümmel
400 g Kichererbsen (Dose), abgetropft
Salz, schwarzer PfefferMinze zum
  Garnieren

1 Brühe in einer großen feuerfesten Kasserolle zum Kochen bringen. Paprika, Zucchini, Möhren und Sellerie zugeben. Bei großer Hitze unter Rühren 2-3 Minuten garen, bis das Gemüse beginnt, weich zu werden.

2 Kartoffeln, Tomaten, Chilipulver, Minze und Kümmel zugeben. Kichererbsen unterheben, aufkochen.

3 Herd herunterschalten, Deckel auflegen und 30 Minuten schmoren, bis das Gemüse gar ist. Mit Salz und Pfeffer abschmecken und mit Minzeblättchen garniert servieren.

KOCH-TIPP

Kichererbsen sind typisch für dieses orientalische Gericht. Es schmeckt aber auch mit Kidney oder weißen Bohnen.

VARIANTE

Sie können für diesen Gemüsetopf auch andere Sorten verwenden. Im Prinzip alles, was Sie gerade vorrätig haben. Lecker mit Süßkartoffeln oder Steckrübe.

Gedämpftes Sommergemüse

Junges Gemüse eignet sich wunderbar zum Dämpfen oder Dünsten. Es behält bei dieser Zubereitung am besten seine zarten Aromen und die knackigen Farben. Es sollte jedoch ungefähr eine Größe haben.

ZUTATEN

Für 4 Portionen

175 g junge Bundmöhren

175 g Zuckerschoten oder junge Erbsen

115 g Babymais

6 EL Gemüsebrühe

2 TL Limettensaft

Salz, schwarzer Pfeffer

gehackte frische Petersilie und in
  Röllchen geschnittener Schnittlauch
  zum Garnieren

1 Möhren, Erbsen und Mais in einen Topf mit schwerem Boden geben. Brühe und Limettensaft zugeben. Aufkochen.

2 Topf bedecken, Herd herunterschalten und 6-8 Minuten köcheln lassen. Topf ab und zu schwenken, bis das Gemüse bissfest gar ist.

3 Gemüse mit Salz und Pfeffer abschmecken. Gehackte Petersilie und Schnittlauchröllchen unterheben. Noch einige Sekunden weitererhitzen, ein oder zweimal umrühren, bis sich die Kräuter gut verteilt haben. Dann sofort servieren.

KOCH-TIPP

Sie können dieses Gericht natürlich auch im Winter zubereiten. Gemüse kleiner schneiden und etwas länger garen.

VARIANTE

Gehaltvoller wird dieses Gericht, wenn Sie das Gemüse mit einer Mischung aus geriebenem Käse und Semmelbröseln bestreuen und kurz im Ofen oder unter dem Grill überbacken.

Blumenkohl mit dreierlei Käse

Blumenkohl bekommt den ultimativen Kick durch dreierlei Käse.

ZUTATEN

Für 4 Portionen

4 Miniblumenkohlköpfe
250 ml Sahne
75 g Butterkäse, gewürfelt
75 g Mozzarella, gewürfelt
3 EL frisch geriebener
Parmesan
frisch geriebene Muskatnuss
schwarzer Pfeffer
geröstete Semmelbrösel zum Garnieren

KOCH-TIPP

Wenn Sie keinen Baby-Blumenkohl bekommen, nehmen Sie stattdessen einen großen Kopf. Vierteln und entstrunken Sie ihn.

1 Blumenkohl in einem großen Topf mit gesalzenem Wasser 8-10 Minuten bissfest garen.

2 In der Zwischenzeit Sahne und die drei Käsesorten in einen kleinen Topf geben und bei sanfter Hitze unter gelegentlichem Rühren halb schmelzen lassen. Mit Muskat und Pfeffer würzen.

3 Wenn der Blumenkohl gar ist, abgießen und jeden Kopf auf einen vorgewärmten Teller legen.

4 Jeden Blumenkohl mit etwas Käsesoße anrichten und mit gerösteten Semmelbröseln bestreuen. Sofort servieren.

Winterlicher Eintopf

Ergänzen Sie diesen reichhaltigen Eintopf ruhig mit Gemüse, das Sie noch vorrätig haben.

ZUTATEN

Für 4 Portionen

2 Zwiebeln, in Ringen
4 Möhren, in Scheiben
1 Steckrübe, in Scheiben
2 Pastinaken, in Scheiben
3 Teltower Rübchen, in Scheiben
$^1/_2$ Knolle Sellerie, in Juliennestreifen
2 Lauchstangen, in Ringen
1 Knoblauchzehe, gehackt
1 zerbröseltes Lorbeerblatt
2 EL gehackte frische Kräuter wie
   Petersilie oder Thymian
300 ml Gemüsebrühe
1 EL Mehl
675 g rotschalige Kartoffeln, geschrubbt
   und in feinen Scheiben
4 EL Butter
Salz, schwarzer Pfeffer

1 Backofen auf 190 Grad vorheizen. Gemüse bis auf die Kartoffeln in eine Kasserolle mit gut sitzendem Deckel einschichten.

2 Jede Lage leicht salzen und pfeffern und mit Knoblauch, Lorbeer und den gehackten Kräutern bestreuen, so daß die Würze gleichmäßig verteilt ist.

3 Brühe und Mehl verquirlen, über das Gemüse gießen. Mit Kartoffelscheiben bedecken. Mit Butterflöckchen besetzen und den Topf schließen.

4 Etwa 75 Minuten im Ofen garen, bis das Gemüse weich ist. Deckel von der Kasserolle nehmen und weiter 15-20 Minuten garen, bis die Kartoffelscheiben an den Rändern knusprig goldbraun werden. Heiß servieren.

Kürbis mit Parmesankruste

Spaghetti-Kürbisse sind relativ ungewöhnlich. Das Fleisch zerfällt zu langen Fasern beim Backen. Ein mittelgroßer Kürbis ist genau richtig für zwei Personen.

ZUTATEN

Für 4 Portionen

1 mittelgroßer Spaghetti-Kürbis
115 g Butter
3 EL gemischte frische Kräuter wie
   Petersilie, Schnittlauch
   oder Oregano
1 Knoblauchzehe, gehackt
1 Schalotte, gehackt
1 TL Zitronensaft
50 g frisch geriebener Parmesan
Salz, schwarzer Pfeffer
   aus der Mühle

1 Backofen auf 180 Grad vorheizen. Kürbis der Länge nach halbieren. Die Hälften mit der Schnittfläche nach unten auf ein Blech setzen. Ein wenig Wasser dazugießen und 40 Minuten im Ofen garen.

2 Währenddessen Butter, Kräuter, Knoblauch, Schalotte und Zitronensaft im Blender pürieren, bis die Mischung eine cremige Konsistenz erhält. Abschmecken.

3 Wenn der Kürbis gar ist, Kerne herauskratzen und die unten flachschneiden, damit die Kürbisse nicht auf dem Teller wackeln. Auf vorgewärmte Essteller setzen.

4 Mit einer Gabel einige der langen Fasern in der Mitte herausheben. Einen Klacks Kräuterbutter hineinsetzen, etwas Parmesan daraufstreuen. Restliche Kräuterbutter und Käse extra zum Spaghettikürbis servieren, damit sich jeder nach Belieben nachnehmen kann.

Pappardelle mit Bohnen und Pilzen

Verwenden Sie Zuchtpilze und wilde Pilze. Das sorgt für besonderes Aroma.

ZUTATEN

Für 4 Portionen

2 EL Olivenöl
4 EL Butter
2 Schalotten, gehackt
2-3 Knoblauchzehen, durchgepresst
675 g gemischte Pilze in dicke
　Scheiben geschnitten
4 getrocknete Tomaten in Öl, abgetropft
　und gehackt
6 EL trockener Weißwein
400 g Borlottibohnen aus der Dose
3 EL geriebener Parmesan
2 EL gehackte, frische Petersilie
Salz, schwarzer Pfeffer
frisch gekochte Pappardelle (breite italie-
　nische Nudeln) zum Servieren

1 Öl und Butter in einer Bratpfanne erhitzen, Zwiebeln darin dünsten.

2 Knoblauch und Pilze zufügen und 3-4 Minuten braten. Getrocknete Tomaten und Wein zugeben. Mit Salz und Pfeffer abschmecken.

3 Bohnen unterheben und 5-6 Minuten garen, bis die Flüssigkeit fast verkocht ist und die Bohnen gut durcherwärmt sind.

4 Geriebenen Parmesan einrühren. Mit Petersilie bestreuen und sofort zu den Nudeln servieren.

Couscous von Wurzelgemüse

Bei dieser Zubereitung kommen die aromatischen und preiswerten Wintergemüse voll zur Geltung. Die scharfe rote Soße hat es ganz schön in sich und ist nichts für Zartbesaitete. Wenn Sie es weniger feurig mögen, lassen Sie die Harissapaste weg.

ZUTATEN

Für 4 Portionen

350 g Couscous
3 EL Olivenöl
4 kleine Zwiebeln, halbiert
675 g gemischtes Wurzelgemüse wie
  Pastinaken, Möhren, Steckrüben,
  Teltower Rübchen, Sellerie oder
  Süßkartoffeln in mundgerechten
  Stücken
2 Knoblauchzehen, gehackt
1 Prise Safranfäden
$1/2$ TL gemahlener Zimt
$1/2$ TL gemahlener Ingwer
$1/2$ TL gemahlenes Kurkuma
$1/2$ TL gemahlener Kümmel
$1/2$ TL gemahlener Koriander
1 EL Tomatenmark
450 ml heiße Gemüsebrühe
1 kleine Fenchelknolle, geviertelt
115 g vorgekochte Kichererbsen oder
  Kichererbsen aus der Dose
50 g Rosinen
2 EL gehackter
  frischer Koriander
2 EL gehackte glatte Petersilie
Salz, schwarzer Pfeffer aus der Mühle

Für die scharfe Soße

1 EL Olivenöl
1 EL Zitronensaft
1 EL gehackter frischer
  Koriander
$1/2$ bis 1 TL Harissa

1 Couscous in eine Schüssel geben, mit Wasser bedecken und wieder abgießen. Auf einem Backblech ausbreiten und 20 Minuten quellen lassen. Dabei alle 5 Minuten mit etwas Wasser besprenkeln.

2 Währenddessen die Zwiebeln in einer großen Pfanne im heißen Öl 3 Minuten braten. Wurzelgemüse zugeben und bei schwacher Hitze 5 Minuten andünsten, bis das Gemüse weich wird.

3 Knoblauch und Gewürze zum Gemüse geben und unter Rühren 1 Minute miterhitzen. Alles in einen großen tiefen Topf umfüllen.

4 Tomatenmark und Brühe zur Gemüsemischung geben. Dann Fenchel, Kichererbsen, Rosinen, frischen Koriander und Petersilie zugeben. Zum Kochen bringen.

5 Couscous mit der Gabel auflockern, um Klümpchen zu entfernen. In einen mit Mull ausgelegten Dämpfkorb geben. Auf das Gemüse setzen.

6 Topf mit dem Deckel verschließen und 15-20 Minuten bei sanfter Hitze auf dem Herd stehen lassen, bis das Gemüse gar und der Couscous gut ausgequollen ist.

7 Für die scharfe Soße 250 ml vom Gemüsesud in einen kleinen Topf sieben. Olivenöl, Zitronensaft und Koriander zugeben. Mit Harissa abschmecken.

8 Couscous auf eine große Servierplatte füllen, einen Ring formen und das Gemüse in die Mitte füllen. Scharfe Soße extra reichen.

KOCH-TIPP

Harissa ist eine feine tunesische Würzpaste auf Chilibasis. Sie ist in der Tube oder in kleinen Dosen erhältlich.

ESSEN MIT FREUNDEN

Auch für Einladungen bietet die vegetarische Küche eine Vielzahl von köstlichen und farbenfrohen Gerichten, die Ihre Gäste beeindrucken werden. Wenn Sie etwas Sättigendes wünschen, servieren Sie die aromatische Gemüsepaella oder das Risotto mit grünem Spargel. Etwas leichter fällt zum Beispiel der Salat mit Ziegenkäse aus. Reichen Sie ihn als Vorspeise oder mit verdoppelten Mengen als Hauptgericht.

Griechische Teignester mit Spinatfüllung

ZUTATEN

Für 4 Portionen

1 EL Olivenöl
1 kleine Zwiebel, fein gehackt
275 g frischer Spinat, entstielt
4 EL Butter, geschmolzen
4 Blätter Phylloteig (ca. 45 x 25 cm; fertig beim Türken erhältlich)
1 Ei
1 Prise geriebene Muskatnuss
75 zerkrümelter Feta
1 EL frisch geriebener Parmesan
Salz, schwarzer Pfeffer aus der Mühle

1 Den Backofen auf 190 Grad vorheizen. Öl in einem Topf erhitzen. Zwiebelwürfel darin unter Rühren glasig andünsten.

2 Gewaschenen und verlesenen Spinat tropfnass zugeben und zusammenfallen lassen. Dünsten bis die Flüssigkeit verdampft. Abkühlen lassen.

3 Vier kleine Quicheförmchen (Durchmesser: 10 cm) mit Butter auspinseln. Zwei der Teigblätter in je 8 Quadrate (12 mal 12 cm groß) schneiden. Restlichen Teig noch zugedeckt liegen lassen.

4 Vier Quadrate mit Butter bepinseln. Ein Förmchen mit einem Teig-Quadrat auslegen, dabei leicht am Boden und am Rand der Form andrücken. Teigränder überhängen lassen.

5 Die weiteren drei Teigquadrate so darüberlegen, dass die Ränder sternförmig überlappen. Restliche Formen ebenso mit je vier Teigstücken auslegen.

6 Ei mit Muskat, Salz und Pfeffer verquirlen. Mit dem Käse zum Spinat geben und mischen. Mischung auf die Backförmchen verteilen. Überhängende Teigränder über die Füllung falten.

7 Aus einem der restlichen Teigblätter 8 Kreise (10 cm Durchmesser) schneiden. Buttern, auf jede Form zwei legen. Rundherum festdrücken. Letztes Teigblatt mit Butter bepinseln und in Streifen schneiden. Streifen verzwirbeln, die Teignester damit verzieren. Kurz stehen lassen, 30 bis 35 Minuten backen. Die griechischen Teignester schmecken heiß oder kalt ausgezeichnet.

Gebackene Polenta zu Paprika

ZUTATEN

Für 4 Portionen

115 g Polenta

2 EL Butter

1-2 EL gehackte gemischte frische
Kräuter wie Petersilie Thymian oder
Salbei

geschmolzene Butter zum Bepinseln

4 EL Olivenöl

1-2 Knoblauchzehen, fein gestiftelt

2 geröstete rote Paprikaschoten, gehäutet
und in Streifen geschnitten

2 geröstete gelbe Paprikaschoten, gehäutet und in Streifen geschnitten

1 EL Balsamessig

Salz, schwarzer Pfeffer

Frische Kräuter zum Garnieren

1 In einem Topf mit schwerem Boden
600 ml gesalzenes Wasser aufkochen.
Polenta unter ständigem Rühren einrie-
seln lassen. Bei schwacher Hitze 15-20
Minuten quellen lassen. Dabei gelegentlich umrühren. Solange erhitzen, bis die
Polenta nicht mehr körnig ist.

2 Vom Herd nehmen, mit dem Löffel
die Butter, Kräuter und frisch
gemahlenen Pfeffer unterarbeiten.

3 Polenta in eine kleine Puddingform
streichen, Oberfläche glätten und
kühlstellen, bis der Grieß fest ist.

4 Polenta auf ein Brett stürzen und in
dicke Scheiben schneiden. Mit
geschmolzener Butter bestreichen und
von jeder Seite unter dem Grill 4-5
Minuten bräunen.

5 Währenddessen Öl in einer Pfanne
erhitzen, Knoblauch und Paprika
zugeben und unter Rühren 1-2 Minuten
braten. Mit dem Essig ablöschen, würzen.

6 Paprikamischung über die
Polentascheiben verteilen, mit
Kräutern garnieren und heiß servieren.

Chinesisches Pfannengemüse

Ein typisches Wok-Gericht, das in ganz China beliebt ist. Chinakohl ist wie eine Kreuzung aus Kohl und knackigem Salat mit einem frischen, scharfen Geschmack.

ZUTATEN

Für 4 Portionen

3 EL Sonnenblumenöl
1 EL Sesamöl
1 Knoblauchzehe, gehackt
225 g Brokkoli, in kleine Röschen
   zerteilt
115 g Zuckerschoten
1 Chinakohl (etwa 450 g), in
   Streifen geschnitten
4 Frühlingszwiebeln, fein gehackt
2 EL Sojasauce
2 EL trockener Sherry
1 EL Sesamsamen, leicht
angeröstet

1 Beide Ölsorten in einem Wok oder einer schweren Pfanne erhitzen. Knoblauch darin 30 Sekunden anbraten.

2 Brokkoliröschen zugeben und unter Rühren 3 Minuten sautieren. Zuckererbsen zugeben, 2 Minuten braten. Dann den Chinakohl und die Frühlingszwiebeln unterheben und nochmals 2 Minuten sautieren.

3 Mit Sojasauce, Sherry und 2-3 EL Wasser ablöschen und 4 Minuten dünsten, bis das Gemüse bissfest gegart ist. Mit den angerösteten Sesamsamen bestreuen. Dazu schmeckt Reis.

Bunter Paprikasalat

ZUTATEN

Für 4 Portionen

je 2 rote und gelbe Paprikaschoten,
   halbiert und entkernt
1 Zwiebel, in dünne Ringe geschnitten
150 ml Olivenöl
2 Knoblauchzehen, durchgepresst
1 Spritzer Zitronensaft
gehackte Petersilie zum Garnieren

1 Paprikahälften ca. 5 Minuten übergrillen, bis die Haut blasig und schwarz ist. In eine Plastiktüte geben, verschließen und 5 Minuten warten.

2 In der Zwischenzeit in einer Pfanne 2 EL Öl erhitzen und die Zwiebel darin 5-6 Minuten glasig dünsten. Dann die Pfanne vom Herd nehmen und beiseite stellen.

3 Paprikaschoten aus der Tüte nehmen und häuten. Putzen und die Paprikaschoten in feine lange Streifen schneiden.

4 Paprika mit den Zwiebeln und dem Bratfett in eine Schüssel füllen. Knoblauch und restliches Olivenöl dazugeben. Einen kräftigen Spritzer Zitronensaft darübergeben, mit Salz und Pfeffer abschmecken. Zugedeckt 2-3 Stunden marinieren lassen.

5 Die frisch gehackte Petersilie über den Salat geben und als würzige Vorspeise oder Beilage zu einem Hauptgericht servieren.

Thai-Gemüse zu Nudeln

Durch die Nudeln so sättigend, dass es auch als Hauptgericht serviert werden kann.

ZUTATEN

Für 4 Portionen

225 g Eiernudeln
1 EL Sesamöl
3 EL Erdnussöl
2 Knoblauchzehen, in Scheiben
1 walnussgroßes Stück frischer Ingwer, fein gehackt
2 rote Chilischoten, entkernt, gehackt
115 g Brokkoli, in kleine Röschen zerteilt
115 g Babymaiskolben
175 g Shiitake- oder Austernpilze, in Streifen geschnitten
1 Bund Frühlingszwiebeln, in Ringe geschnitten
1 Paksoi oder Chinakohl, in Streifen
115 g Sojasprossen
1-2 EL dunkle Sojasoße
Salz, schwarzer Pfeffer

1 Eiernudeln nach Packungsanweisung in kochendem Salzwasser garen. Gut abtropfen lassen und das Sesamöl unterheben. Beiseite stellen.

2 Erndussöl in einem Wok oder einer großen Bratpfanne erhitzen. Knoblauch und Ingwer darin 1 Minute sautieren. Chili, Brokkoli, Mais und Pilze zugeben, 2 Minuten anbraten.

3 Frühlingszwiebeln, Chinakohl und Sprossen zugeben und weitere 2 Minuten unter Rühren braten.

4 Nudeln unterheben. Mit Sojasoße und Pfeffer abschmecken.

5 Noch weitere 2-3 Minuten bei starker Hitze rühren, bis alle Zutaten gut erwärmt und vermischt sind. Dann sofort servieren.

Schweizer Soufflé-Kartoffeln

Preiswert, aber dabei unglaublich lecker: Wenn Sie Kartoffeln bisher langweilig fanden – dieses Rezept mit gebackenem Kartoffelteig wird Sie eines Besseren belehren.

ZUTATEN

Für 4 Portionen

4 mittelgroße Kartoffeln
115 g Gruyère, gerieben
115 g Kräuterbutter
4 EL Crème fraîche
2 Eier, getrennt
Salz, schwarzer Pfeffer

1 Backofen auf 220 Grad vorheizen. Kartoffeln schrubben, dann mit einer Gabel rundum einstechen. 1 bis 1½ Stunden backen. Herausnehmen und den Ofen auf 180 Grad herunterschalten.

2 Kartoffen halbieren, Fleisch mit einem Löffel herauskratzen und in eine Schüssel geben. Kartoffelschalen wieder in den Ofen schieben.

3 Kartoffeln mit einer Gabel zerdrücken. Dann Käse, Butter, Crème fraîche, Eigelb und Gewürze zugeben. Verschlagen, bis alles gut vermischt ist.

4 Eiweiß in einer separaten Schüssel steif schlagen, bis sich steife Spitzen bilden. Unter die Kartoffelmasse heben.

5 Mischung wieder in die Kartoffelschalen füllen und 20-25 Minuten backen, bis sie goldbraun sind.

Zwiebelkuchen mit Käse und Apfel

ZUTATEN

Für 4 Portionen

225 g Mehl
$^1/_4$ TL Senfpulver
6 EL weiche Margarine
6 EL Gruyère,
   fein gerieben

Für die Füllung

2 EL Butter
1 große Zwiebel, fein gaheckt
1 großer oder 2 kleine Äpfel, geschält
   und geraspelt
2 große Eier
150 ml Crème fraîche
$^1/_4$ TL getrocknete gemischte Kräuter
$^1/_2$ TL Senfpulver
115 g Gruyère
Salz, schwarzer Pfeffer

1 Für den Teig Mehl, Salz und Senfpulver in eine Schüssel sieben. Margarine und Käse unterarbeiten, bis der Teig krümelig ist. Dann 2 EL Wasser unterrühren und zu einer Kugel formen. Zugedeckt oder in Folie gewickelt für 30 Minuten kalt stellen.

2 In der Zwischenzeit die Füllung zubereiten: Butter in einem Topf zerlassen, Zwiebel zugeben und bei sanfter Hitze 10 Minuten anschwitzen, bis sie weich ist. Apfel unterrühren, weitere 2-3 Minuten dünsten. Abkühlen lassen.

3 Teig ausrollen und eine leicht gefettete Tarteform (Durchmesser 20 cm) damit auslegen. Backofen auf 200 Grad vorheizen.

4 Teig mit Backpapier auslegen und Bohnen einfüllen. 20 Minuten vorbacken („blindbacken").

5 Eier, Crème fraîche, Kräuter, Gewürze und Senf verschlagen. $^3/_4$ vom Käse dazureiben und verrühren. Restlichen Käse in Streifen schneiden und beiseite legen. Wenn der Teig vorgebacken ist, Papier entfernen und die Ei-Käse-Mischung einfüllen.

6 Mit Käsestreifen belegen. Ofen auf 190 Grad herunterschalten und den Zwiebelkuchen 20 Minuten backen, bis die Füllung goldfarben und fest ist. Heiß oder warm servieren. Dazu schmeckt kräftiger Blattsalat.

KOCH-TIPP

Dieser würzige Kuchen schmeckt auch mit anderen reifen Käsesorten wie altem Gouda, Parmesan oder Sbrinz.

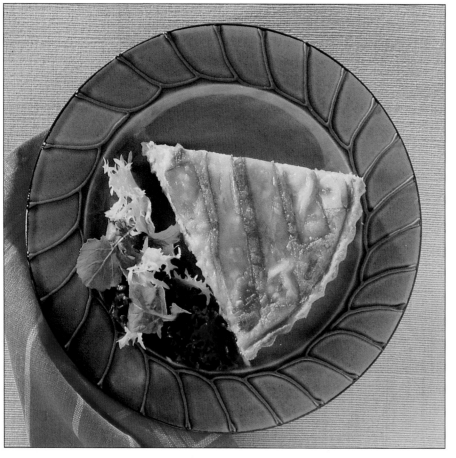

Gemüse-Paella

ZUTATEN

Für 4 Portionen

1 Prise Safranfäden oder 1 TL
   gemahlenes Kurkuma

750 ml heiße Gemüsebrühe oder
   Gemüsefond

6 EL Olivenöl

2 große Zwiebeln, in Ringen

3 Knoblauchzehen, gehackt

275 g Langkornreis

50 g Wildreis

175 g Kürbisfleisch, gehackt

175 g Möhren, in Juliennestreifen
   geschnitten

1 gelbe Paprikaschoten, in Streifen

4 Tomaten, gehäutet und gehackt

115 g Austernpilze, geviertelt

Salz, schwarzer Pfeffer aus der Mühle

Streifen von roter, gelber und grüner
   Paprika zum Garnieren

1 Safran in einer kleinen Schüssel mit
3-4 EL heißer Brühe einweichen. 5
Minuten ziehen lassen. In der Zwischenzeit in einer Paellapfanne oder großen,
schweren Bratpfanne das Öl erhitzen.
Zwiebeln und Knoblauch darin unter
Rühren andünsten.

2 Beide Reissorten zugeben und
rühren, bis alle Körner mit Öl überzogen sind. Mit der Brühe ablöschen.
Kürbis und Safran mit der Einweich-
flüssigkeit zugeben. Aufkochen, dann den
Herd auf die kleinste Hitze schalten.

3 Mit dem Pfannendeckel oder
Alufolie bedecken und 15 Minuten
sanft erhitzen (nicht rühren oder den
Deckel heben, weil sonst der Dampf ent-
weicht). Möhren, Paprika, Tomaten, Salz
und Pfeffer zugeben, wieder zudecken
und weiter 5 Minuten garen, bis der
Reis fast weich ist.

4 Zuletzt die Austernpilze zugeben,
abschmecken und offen so lange
garen, bis die Pilze weich sind, die Paella
aber nicht ansetzt. Mit den vorbereiteten
Paprikastreifen belegen und sofort servieren.

Risotto mit grünem Spargel

Das echte italienische Risotto hat eine unvergleichlich cremige Konsistenz. Man erreicht sie durch ständiges Rühren des speziellen Aroborio-Reises.

ZUTATEN

Für 4 Portionen

¼ TL Safranfäden
750 ml heiße Gemüsebrühe
2 EL Butter
2 EL Olivenöl
1 große Zwiebel, fein gehackt
2 Knoblauchzehen, fein gehackt
225 g Arborio Reis
300 ml trockener Weißwein
225 g grüner Spargel, in etwa
   5 cm lange Stücke geschnitten
   und blanchiert
75 g fein geriebener Parmesan
Salz, schwarzer Pfeffer
Parmesanhobel und frische
   Basilikumstiele zum Garnieren
Ciabattabrot und Salat
   zum Servieren

1 Safranfäden über die Brühe streuen und 5 Minuten einweichen.

2 Butter und Öl in einer Bratpfanne erhitzen. Zwiebel und Knoblauch zugeben und 6 Minuten anschwitzen.

3 Reis zugeben und 1-2 Minuten unter Rühren anbraten, bis alle Körner mit Öl und Butter benetzt sind.

4 Von der Brühe mit dem Safran 300 ml zugießen. Bei mittlerer Hitze unter häufigem Rühren köcheln lassen, bis die Flüssigkeit vom Reis vollständig absorbiert ist.

5 Vorgang wiederholen, weitere 300 ml Brühe zugießen. Wenn die Flüssigkeit aufgenommen ist, den Wein zugießen und unter Rühren weiterkochen, bis der Reis cremig weich ist.

6 Spargel und restliche Brühe zugießen und rühren, bis der Reis gar und die Flüssigkeit absorbiert ist. Parmesan unterheben und gut würzen.

7 Risotto auf vorgewärmten Tellern anrichten. Mit Parmesanhobeln und frischem Basilikum garnieren. Mit heißem Ciabattabrot und knackigem grünen Salat servieren.

Ziegenkäse auf Wintersalaten

ZUTATEN

Für 4 Portionen

2 EL Olivenöl

4 Scheiben französisches Weißbrot

225 g gemischte Wintersalate wie
  Radicchio, Lollo Rosso, Eichblatt

4 kleine runde Ziegenfrischkäse
  (je ca. 50 Gramm)

1 gelbe Paprikaschote, entkernt und
  fein gewürfelt

1 kleine rote Zwiebel, fein gewürfelt

3 EL gehackte Petersilie

2 EL Schnittlauchröllchen

Für das Dressing

2 EL Weinessig

1 TL körniger Senf

5 EL Olivenöl

Salz, schwarzer Pfeffer aus der Mühle

1 Für das Dressing Essig und Salz mit einer Gabel verrühren. Senf unterrühren. Nach und nach das Öl unterschlagen, bis das Dressing sämig ist. Mit Salz und Pfeffer würzen. Beiseite stellen. Grill vorheizen.

2 Öl in einer Pfanne erhitzen. Wenn es heiß ist, Brotscheiben darin 1 Minute goldbraun braten. Wenden und auf der anderen Seite 30 Sekunden weiterbraten. Auf Küchenpapier abtropfen lassen. Beiseite stellen.

3 Salat in einer Schüssel anrichten. 3 EL Dressing zugeben und untermischen. Vorbereiteten Salat auf vier Tellern anrichten.

4 Ziegenkäse mit der Schnittfläche nach oben auf ein Backblech setzen und 1-2 Minuten übergrillen.

5 Jeden Ziegenkäse auf eine Brotscheibe setzen und auf dem Salat anrichten. Mit Paprika, roter Zwiebel, Petersilie und Schnittlauchröllchen bestreuen. Restliches Dressing darüberträufeln und servieren.

VARIANTE

Wenn der Salat als Hauptgericht gereicht werden soll, erhöhen Sie die Menge der Salatblätter und bereiten Sie die doppelte Menge Dressing zu. Verlängern Sie den Salat mit 115 g blanchierten grünen Bohnen, die Sie mit der Hälfte des Dressings marinieren.

Cremiges Kartoffelgratin mit Kräutern

ZUTATEN

Für 4 Portionen

675 g festkochende Kartoffeln
2 EL Butter
1 Zwiebel, fein gehackt
1 Knoblauchzehe, durchgepresst
2 Eier
300 ml Crème fraîche oder Crème
    double
115 g Gruyère, gerieben
4 EL gehackte frische gemischte Kräuter
    wie Kerbel, Thymian, Schnittlauch und
    Petersilie
frisch geriebene Muskatnuss
Salz, schwarzer Pfeffer

1 Ein Blech in den Ofen schieben, auf 190 Grad vorheizen.

2 Kartoffeln schälen und in Stifte schneiden. Beiseite stellen. Butter in einem Topf schmelzen. Zwiebel und Knoblauch darin andünsten. Eier, Crème fraîche und die Hälfte vom Käse in einer großen Schüssel verrühren.

3 Zwiebelmischung, Kräuter, Kartoffeln, Salz, Pfeffer und Muskat einrühren. In eine gebutterte feuerfeste Form füllen und mit dem restlichen Käse bestreuen. Auf dem heißen Blech 50-60 Minuten goldbraun backen.

Spinatrolle mit Pilzen

ZUTATEN

Für 6-8 Portionen

450 g frischer Spinat
1 EL Butter
4 Eier, getrennt
frisch geriebene Muskatnuss
50 g geriebener Pikantje Gouda
Salz, schwarzer Pfeffer

Für die Füllung

2 EL Butter
350 g Champignons,
    gehackt
25 g Mehl
150 ml Milch
3 EL Crème double
2 EL Schnittlauchröllchen

1 Backofen auf 190 Grad vorheizen. Eine kleine flache Form (23 x 33 cm) mit Backpapier auslegen. Spinat waschen, Stiele entfernen. Dann die tropfnassen Blätter in einem heißen Topf zusamenfallen lassen und einige Minuten dünsten. Abtropfen lassen, Flüssigkeit mit der Hand herausdrücken und fein hacken.

2 Spinat in eine Schüssel füllen, Butter und Eigelb unterrühren. Mit Salz, Pfeffer und Muskat würzen. Eiweiß steif schlagen und unter die Spinatmischung heben. In die Backform füllen, glattstreichen und mit der Hälfte des Käses bestreuen. 10-12 Minuten backen.

3 In der Zwischenzeit die Füllung vorbereiten. Butter in einem Topf schmelzen und die Pilze darin weichdünsten. Mit Mehl bestäuben, 1 Minute binden lassen. Nach und nach die Milch zugießen und aufkochen. Glattrühren. 2-3 Minuten weiterköcheln. Vom Herd nehmen, Kräuter und Sahne einrühren.

4 Rolle aus dem Ofen holen und auf ein neues Stück Backpapier stürzen. Mitgebackenes Papier entfernen, die Pilzfüllung gleichmäßig auf der Rolle verstreichen.

5 Mit Hilfe des Papiers wieder fest aufrollen und in eine feuerfeste Form setzen. Restlichen Käse daraufstreuen und nochmals für 4-5 Minuten in den Ofen schieben, bis der Käse zerläuft. In Scheiben geschnitten servieren.

Rauke-Kresse-Salat mit Knoblauchcroûtons

ZUTATEN

Für 4 Portionen

1 EL Olivenöl
1 Knoblauchzehe, durchgepreßt
1 EL frisch geriebener
  Parmesan
1 EL frische gehackte Petersilie
4 Scheiben Ciabatta, entrindet und in
  kleine Würfel geschnitten
1 großer Bund Brunnenkresse
1 Hand voll Rauke
200 g Eichblattsalat, verlesen, gewaschen,
  in mundgerechte Stücke gezupft
1 reife Avodaco

Für das Dressing

3 EL Olivenöl
1 EL Walnussöl
Saft von ½ Zitrone
½ TL Dijon-Senf
Salz, schwarzer Pfeffer

1 Backofen auf 190 Grad vorheizen. Öl, Knoblauch, Parmesan, Petersilie und Brot in eine Schüssel geben und gut vermischen. Brotwürfel auf einem Backblech verteilen und 8 Minuten knusprig backen.

2 Brunnenkresse und Rauke verlesen abspülen und zerzupfen. Mit dem vorbereiteten Salat in eine Schüssel geben.

3 Avocado halbieren, entsteinen, schälen und das Fruchtfleisch in Schnitze schneiden. Zum Salat geben.

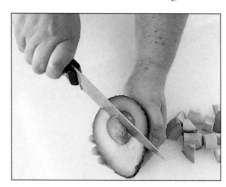

4 Für das Dressing beide Ölsorten, Zitronensaft, Senf und Gewürze in einer kleinen Schüssel verquirlen oder in einem verschließbaren Glas schütteln, bis das Dressing sämig ist. Salat damit anmachen und mit Croûtons bestreuen.

Wildreis mit Gemüse vom Grill

Durch das Grillen erhalten diese Sommergemüse den Extra-Touch.

ZUTATEN

Für 4 Portionen

115 g Wildreis
115 g weißer Langkornreis
1 große Aubergine, in dicke Scheiben
  geschnitten
je 1 rote, grüne und gelbe Paprika,
  geviertelt und entkernt
2 rote Zwiebeln, in Ringe geschnitten
225 g Maronen oder Shiitake-Pilze
2 kleine Zucchini, der Länge
  nach halbiert
Olivenöl zum Bepinseln
2 EL frischer gehackter Thymian

Für das Dressing

6 EL Olivenöl Extra Vergine
2 EL Balsamessig
2 Knoblauchzehen, durchgepresst
Salz, schwarzer Pfeffer

1 Wildreis in einen Topf mit kaltem Salzwasser geben. Aufkochen, dann herunterschalten und zugedeckt ca. 25 Minuten quellen lassen. Erst dann den weißen Reis zugeben, 10 Minuten weiterköcheln, bis beide Sorten gar sind.

2 Für das Dressing Olivenöl, Essig, Knoblauch und Gewürze in einer kleinen Schüssel verquirlen oder in einem verschließbaren Glas gut schütteln. Beiseite stellen.

3 Gemüse auf einem Grillrost verteilen. Mit Olivenöl bepinseln und 8-10 Minuten grillen, bis es gar und gut gebräunt ist. Dabei ab und zu wenden. Gegebenenfalls nochmals bepinseln.

4 Reis abgießen und die Hälfte des Dressings untermischen. In eine Servierschüssel füllen, gegrilltes Gemüse darauf anrichten. Restliches Dressing darübergießen, mit Thymian bestreuen.

Omelette mit jungen Kartoffeln und Paprika

Das raffinierte an diesem Kräuteromelette: Es wird kurz unter den Grill geschoben. So bekommt es seinen goldenen Ton und das Röstaroma.

ZUTATEN

Für 3-4 Portionen

450 g kleine neue Kartoffeln
6 Eier
2 EL gehackte frische Minze
2 EL Olivenöl
1 Zwiebel, gehackt
2 Knoblauchzehen, durchgepresst
2 rote Paprikaschoten, entkernt und in grobe Würfel geschnitten
Salz, schwarzer Pfeffer
Minzestiele zum Garnieren

1 Kartoffeln schrubben, in einem Topf mit Salzwasser gar kochen. Abgießen und etwas abkühlen lassen. Dann in dicke Scheiben schneiden.

2 Eier, Minze und Gewürze in einer Schüssel verquirlen. Beiseite stellen. Öl in einer Bratpfanne erhitzen.

3 Zwiebeln, Knoblauch, Paprika und Kartoffeln in die Pfanne geben und unter Rühren 5 Minuten braten.

4 Eimischung über das Gemüse gießen und sanft verteilen.

5 Gemüse etwas zur Seite schieben, damit das Ei in der Pfannenmitte zum Boden gelangt.

6 Wenn das Ei etwas Festigkeit erreicht hat, die Pfanne (falls feuerfest) 2-3 Minuten unter dem Grill bräunen. Heiß oder kalt servieren. In Stücke schneiden, mit Minze bestreuen.

Rote Zwiebeltörtchen

Rote Zwiebeln haben nicht nur ein besonders mildes Aroma, sie sorgen auch für intensive Farbe.

ZUTATEN

Für 4 Stück

4–5 EL Olivenöl
500 g rote Zwiebeln, in
　Ringe geschnitten
1 Knoblauchzehe, durchgepresst
2 EL gehackte, frische gemischte Kräuter
　wie Thymian, Petersilie und Basilikum
225 g Tiefkühlblätterteig, aufgetaut
1 EL Tomatenmark
schwarzer Pfeffer
Thymian zum Garnieren

1 In einem Topf oder einer hohen Pfanne 2 EL Öl erhitzen. Zwiebeln und Knoblauch darin 15–20 Minuten weichdünsten. Gelegentlich rühren. Kräuter untermischen.

2 Ofen auf 220 Grad vorheizen. Teigblätter vierteln, jedes Stück zum Kreis (15 cm Durchmesser) ausrollen. Ränder hochdrücken und kräuseln. Teig mit einer Gabel mehrmals einstechen. 10 Minuten kühl stellen.

3 Tomatenmark und 1 EL Olivenöl verrühren und auf den Teig streichen. Die Teigränder dabei 1 cm breit aussparen.

4 Zwiebelmischung auf die vorbereiteten Törtchen streichen und kräftig Pfeffer darübermahlen. Mit etwas Öl beträufeln und etwa 15 Minuten backen, bis der Teig locker und goldbraun ist. Heiß servieren, mit Thymian bestreuen.

Zweimal gebackene Käse-Soufflés

Diese Soufflés sind einfach herzustellen, machen aber riesigen Eindruck. Sie können Sie sogar vorbereiten und dann nur noch aufbacken. Einfacher geht's nicht!

ZUTATEN

Für 4 Stück

300 ml Milch
einige Zwiebelscheiben,
  1 Lorbeerblatt und
  4 Pfefferkörner zum Würzen
5 EL Butter
40 g Mehl
115 g Cheddar oder ersatzweise
  Pikantje Gouda, gerieben
$^1/_4$ TL Senfpulver
3 Eier, getrennt
4 EL gehackte frische Petersilie
250 ml Sahne
Salz, schwarzer Pfeffer

1 Backofen auf 180 Grad vorheizen. Milch und die Würzzutaten in einen Topf geben. Langsam aufkochen, dann durchsieben.

KOCH-TIPP

Versuchen Sie nicht, die Soufflés aus den Förmchen zu lösen, bevor sie richtig abgekühlt sind. Erst kalt lassen sie sich gut lösen. Die Soufflés können bis zu 8 Stunden im Kühlschrank aufgehoben werden. Lecker auch mit Schnittlauch.

---

2 Butter in einem ausgespülten Topf schmelzen. Vier kleine Förmchen (150 ml) mit etwas Butter fetten.

3 Mehl in die Butter rühren und unter Rühren binden. Nach und nach mit der Würzmilch ablöschen, dabei ständig Rühren. Nochmals zum Kochen bringen, bis die Soße andickt. 2 Minuten unter Rühren weiterkochen.

4 Topf vom Herd nehmen und 75 g des geriebenen Käses und das Senfpulver unterrühren. Eigelb darunterschlagen, dann die Petersilie. Mit Salz zurückhaltend und frisch gemahlenem Pfeffer kräftig abschmecken.

5 Eiweiß in einer großen Schüssel steif schlagen. Zuerst einen Löffel Eischnee unter die Käsemasse heben, dann die Käsemasse vorsichtig unter den Eischnee arbeiten.

6 Soufflémasse in die vier Förmchen füllen, auf eine Fettpfanne setzen. Diese mit Wasser angießen, bis die Förmchen zur Hälfte in der Flüssigkeit stehen. 15-20 backen, bis die Soufflés aufgehen und fest werden. Sofort aus dem Ofen holen und die Soufflés abkühlen lassen, bis sie sich etwas setzen.

7 Kurz vor dem Servieren den Ofen nochmals auf 220 Grad vorheizen. Soufflés vorsichtig aus den Förmchen lösen und nebeneinander in eine gebutterte Form setzen. Sahne würzen und über die Soufflés gießen. Dann den restlichen Käse darüber streuen.

8 Soufflés nochmals 10-15 Minuten backen, bis sie aufgehen und goldbraun getönt sind. Sofort servieren.

Salat mit Birne und Roquefort

Der Salat entwickelt sein Aroma
am besten mit vollreifen Birnen.

ZUTATEN

Für 4 Portionen
3 reife Birnen
Zitronensaft
ca. 175 g gemischte Blattsalate
175 g Roquefort
50 g Haselnüsse, geröstet
  und gehackt

Für das Dressing
2 EL Haselnussöl
3 EL Olivenöl
1 El Cidre-Essig
1 TL Dijonsenf
Salz, schwarzer Pfeffer

1 Für das Dressing beide Ölsorten,
Essig, Senf, Salz und Pfeffer in einer
kleinen Schüssel verquirlen oder in
einem verschließbaren Glas mixen.

2 Birnen schälen, entkernen und
schneiden. In Zitronensaft wälzen.

3 Salate auf Tellern anrichten. Mit
Birnenspalten belegen, dann den
Roquefort darüber bröseln. Haselnüsse
darauf verteilen und das Dressing auf die
Salate träufeln.

Zwiebelquiche mit Gruyère

Das Geheimnis dieser Quiche:
Die Zwiebeln langsam rösten,
dann schmecken sie fast süß.

ZUTATEN

Für 4 Portionen
175 g Mehl
1 Prise Salz
6 EL Butter, in Flöckchen
1 Eigelb

Für die Füllung
4 EL Butter
450 g Zwiebeln, in dünnen Ringen
1-2 TL körniger Senf
2 Eier und 1 Eigelb
300 ml Sahne
75 g Gruyère, gerieben
frisch geriebene Muskatnuss
Salz, schwarzer Pfeffer

1 Für den Teig Mehl und Salz in eine
Schüssel sieben. Butterflöckchen
unterarbeiten, bis der Teig krümelig
wird. Eigelb und 1 EL kaltes Wasser
unterarbeiten und zu einem festen Teig
verarbeiten. 30 Minuten kalt stellen.

2 Ofen auf 200 Grad vorheizen. Teig
kneten, auf einer bemehlten Fläche
ausrollen und eine Blechform (23 cm
Durchmesser) damit auslegen. Mehrmals
einstechen, mit Backpapier auslegen, mit
Bohnen füllen.

3 Boden 15 Minuten blindbacken.
Dann Papier und Bohnen entfernen
und 10-15 Minuten weiterbacken, bis
der Boden knusprig ist. Währenddessen
Butter schmelzen und die Zwiebeln
zugedeckt 20 Minuten goldbraun
andünsten. Ab und zu umrühren.

4 Ofen auf 180 Grad (Stufe 4) herunterschalten. Boden mit Senf bestreichen. Dann die Zwiebeln einfüllen. Eier,
Eigelb, Sahne, Käse, Muskat und
Gewürze verquirlen und über die
Zwiebeln gießen. 30-35 Minuten fertig-
backen. Warm servieren.

BEILAGEN & SALATE

*Hier finden Sie köstliche Anregungen und Ideen, die
zu allen Arten vegetarischer Hauptgerichte passen. Die indisch inspirierten
Würzkartoffeln, Pastinaken mit Mandeln oder gebackene Zucchini
in feiner Tomatensoße wärmen an kalten Tagen von innen –
an heißen Sommertagen sollten Sie mal den farbenfrohen Spinatsalat
mit Roter Bete oder Minigemüse vom Blech probieren!*

Pastinaken mit Mandeln

Pastinaken harmonieren hervorragend mit Nüssen. Sie schmecken auch wunderbar mit Walnüssen oder Haselnüssen.

ZUTATEN

Für 4 Portionen

450 g kleine Pastinaken, geschält
3 EL Butter
25 g Mandelblättchen
1 EL brauner Zucker
1 Prise 5-Gewürze-Puvler
1 EL Zitronensaft
Salz, schwarzer Pfeffer aus der Mühle
gehackter frischer Kerbel oder Petersilie
   zum Garnieren

1 Pastinaken in kochendem Salzwasser bissfest garen. Gut auf einem Sieb abtropfen lassen. Wenn die Pastinaken etwas abgekühlt sind, zuerst in lange Stücke schneiden, dann die Stücke der Länge nach vierteln.

2 Butter in einer Bratpfanne erhitzen. Pastinaken und Mandeln zugeben und unter Rühren und Wenden von allen Seiten andünsten, bis das Gemüse leicht gebräunt ist.

3 Zucker und Gewürzpulver mischen und über die Pastinaken streuen. Gut verrühren und mit dem Zitronensaft beträufeln. Würzen und nochmals kurz erhitzen. Mit Kerbel oder Petersilie bestreut servieren.

> #### KOCH-TIPP
>
> Frischer Ingwer, mitgedünstet, verleiht diesem Gericht einen Extra-Pfiff.

Mairübchen mit Orange

Mit gerösteten Mandelblättchen oder gehackten Nüssen bestreut, erhält das sanfte milde Gemüsegericht Biss und besondere Raffinesse.

ZUTATEN

Für 4 Portionen

4 EL Butter
1 EL Öl
1 kleine Schalotte, fein gehackt
450 g Mairübchen, geviertelt
300 ml frischgepresster
   Orangensaft
Salz, schwarzer Pfeffer aus der Mühle

1 Butter und Öl in einem kleinen Topf erhitzen. Schalotte darin unter Rühren sanft andünsten, bis sie weich, aber nicht gebräunt ist.

2 Rübchen in die Pfanne geben und andünsten. Dabei die Pfanne häufig schwenken, bis die Rüben Butter und Öl aufgesogen haben.

3 Orangensaft über das Gemüse gießen und 30 Minuten bei schwacher Hitze köcheln lassen. Die Rüben sollten zart und der Saft zu einer buttrigen Soße verkocht sein.

> #### KOCH-TIPP
>
> Zu diesem Gericht passt gemahlener Ingwer, Zimt oder zerstoßener Kümmel.

Röstkartoffeln mit Rosmarin

Die raffinierte Zubereitung sorgt dafür, dass diese Röstkartoffeln mit wesentlich weniger Fett auskommen. Weil sie mit Schale gebacken werden, behalten sie auch ihr volles Aroma.

ZUTATEN 🍎

Für 4 Portionen
900 g kleine rotschalige Kartoffeln
2 TL Walnussöl
2 EL frische Rosmarinnadeln
Salz, Paprikapulver

1 Backofen auf 225 Grad vorheizen. Kartoffeln ungeschält in einen Topf mit kaltem Wasser geben. Große halbieren. Aufkochen und gut abtropfen lassen.

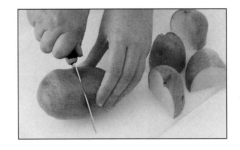

2 Kartoffeln mit dem Nussöl beträufeln. Den Topf schwenken, damit sich das Öl gleichmäßig veteilt.

3 Kartoffeln in eine kleine Fettpfanne setzen. Üppig mit Rosmarinnadeln, Salz und Paprikapulver bestreuen. Im Ofen 30 Minuten goldbraun rösten

VARIANTE

Wenn Sie eine Hand voll Haselnüsse, Mandeln oder Walnüsse 5 Minuten vor Ende der Backzeit über die Kartoffeln verteilen, erhalten sie köstlichen Biss.

Gebackene Zucchini in Tomatensoße

ZUTATEN

Für 4 Portionen
1 TL Olivenöl
3 große Zucchini, in dünnen Scheiben
1 kleine rote Zwiebel, fein gehackt
300 ml Tomatensoße
2 EL gehackter frischer Thymian
Knoblauchsalz, schwarzer Pfeffer
frischer Thymian zum Garnieren

1 Ofen auf 190 Grad vorheizen. Eine feuerfeste Form mit Olivenöl auspinseln. Die Hälfte der Zucchini und Zwiebel einfüllen.

2 Mit der Hälfte der Tomatensoße bedecken und mit frischem Thymian bestreuen. Mit Knoblauchsalz und Pfeffer würzen.

3 Restliche Zucchini und Zwiebel in die Form schichten. Ebenfalls mit Salz und Pfeffer würzen. Restliche Soße mit dem Löffel gleichmäßig darauf verteilen.

4 Form mit Alufolie abdecken und 40-50 Minuten backen, bis die Zucchini gar sind. Mit Thymianzweigen garnieren und heiß servieren.

KOCH-TIPP

Rote Zwiebeln sind besonders mild im Geschmack. Wenn Sie keine bekommen, können Sie aber genauso gut die halbe Menge herkömmlicher Zwiebeln nehmen oder 1-2 Schalotten.

Babygemüse vom Blech

Wenn es keine Minigemüse gibt, nehmen Sie „ausgewachsene" und schneiden Sie in Stücke.

ZUTATEN

Für 2 Portionen

4 EL ungesalzene Butter
2 EL gehackte frische Kräuter
1 Knoblauchzehe
$\frac{1}{2}$ TL abgeriebene Zitronenschale
2 EL Olivenöl
350-450 g gemischte Minigemüse wie Möhren, Mairübchen, Pastinaken, Fenchel und Squashkürbisse
6 Perlzwiebeln, geschält
Zitronensaft nach Belieben
Salz, schwarzer Pfeffer aus der Mühle
Parmesan- oder Pecorinohobel oder Ziegenkäse und knuspriges Brot zum Servieren

1 Backofen auf 220 Grad vorheizen. Butter, Kräuter, Knoblauch, Zitronenschale und Gewürze in eine Küchenmaschine füllen und mixen.

2 Öl in einer Pfanne oder im Wok erhitzen und das Gemüse 3 Minuten unter Rühren leicht anbraten.

3 Gemüsemenge halbieren, auf zwei Stücke Alufolie verteilen. Mit Kräuterbutterflöckchen besetzen und verschließen. Päckchen auf ein Blech setzen. 30-40 Minuten backen.

4 Vorsichtig die Päckchen öffnen, Gemüse nach Belieben mit einem Spritzer Zitronensaft würzen.

5 Gemüse in der Folie servieren oder auf vorgewärmten Tellern anrichten. Garsud darüberschöpfen, dazu Käse und Brot servieren.

Kartoffelsalat mit Brunnenkresse

Neue Kartoffeln schmecken heiß oder kalt. Und dieser farbenfrohe vitaminreiche Salat bringt ihren Geschmack voll zur Geltung.

ZUTATEN 🍎

Für 4 Portionen

450 g kleine neue Kartoffeln, ungeschält
1 Bund Brunnenkresse
200 g Kirschtomaten, halbiert
2 EL Kürbiskerne
3 EL fettarmer Frischkäse
1 EL Cidre-Essig
1 TL brauner Zucker
Salz, Paprikapulver

1 Kartoffeln in leicht gesalzenem Wasser garen, mit kaltem Wasser abschrecken und abkühlen lassen.

2 Kartoffeln, Brunnenkresse, Tomaten und Kürbiskerne vermischen.

3 Frischkäse, Essig, Zucker Salz und Paprika in ein Glas mit Schraubverschluß füllen und gut durchschütteln. Vor dem Servieren über den Salat geben.

VARIANTE

Sie können auch die Kresse durch 225 g zarten Sommerspinat ersetzen. Dann ist der Salat ein wenig milder.

KOCH-TIPP

Wenn Sie den Salat im Voraus zubereiten, mixen Sie das Dressing im Glas, geben es aber erst kurz vor dem Servieren darüber.

Indische Würzkartoffeln

Diesem indischen Kartoffelgericht verleiht eine Mischung ganzer und gemahlener Gewürze die exotische Note. Fragen Sie im Asialaden danach.

Zutaten

Für 4 Portionen

4 große Kartoffeln, geschält und in
    Würfel geschnitten
4 EL Sonnenblumenöl
1 Knoblauchzehe, fein gehackt
2 TL braune Senfkörner
1 TL schwarze Senfsaat
1 TL gemahlenes Kurkuma
1 TL gemahlener Kümmel
1 TL gemahlener Koriander
1 TL Fenchelsamen
Salz, schwarzer Pfeffer aus der Mühle
1 kräftiger Spritzer Zitronensaft
gehackter frischer Koriander und
    Zitronenschnitze zum Garnieren

1 Salzwasser in einem Topf zum Kochen bringen und die Kartoffelwürfel darin etwa 4 Minuten bissfest garen. Gut abtropfen lassen.

2 Öl in einer großen Pfanne erhitzen und den Knoblauch darin andünsten. Sämtliche Gewürze zugeben und 1-2 Minuten unter Rühren anbraten, bis die Senfsaat anfängt zu knacken.

3 Kartoffeln in die Pfanne geben und bei mittlerer Hitze 5 Minuten mitbraten, bis sie erwärmt und rundherum mit dem Würzöl bedeckt sind.

4 Kräftig mit Salz und Pfeffer würzen und mit Zitronensaft beträufeln. Mit gehacktem Koriander und Zitronenspalten garnieren. Passt zu Curries und anderen aromatischen Speisen.

Spanische Chilikartoffeln

In Spanien heißt dieses Gericht *Patatas bravas,* was etwa scharfe, wilde Kartoffeln heißt. Beginnen Sie mit einer gemäßigten Chilidosis, und steigern Sie langsam

Zutaten

Für 4 Portionen

1 kg kleine neue Kartoffeln
4 EL Olivenöl
1 Zwiebel, fein gehackt
2 Knoblauchzehen, durchgepresst
1 EL Tomatenmark
200 g gehackte Tomaten aus der Dose
1 EL Rotweinessig
2-3 kleine getrocknete Chilischoten,
    entkernt und fein gehackt oder
    1-2 TL scharfes Chilipulver
1 TL Paprikapulver
Salz, schwarzer Pfeffer aus der Mühle
glatte Petersilie zum Garnieren

1 Kartoffeln als Pellkartoffeln 10-12 Minuten garen. Mit kaltem Wasser abschrecken, gut abtropfen und abkühlen lassen. Halbieren und beiseite stellen.

2 Öl in einer großen Pfanne erhitzen, Zwiebeln und Knoblauch hineingeben und 5-6 Minuten darin andünsten. Tomatenmark, Tomaten, Essig, Chilischoten, und Paprika zugeben. Etwa 5 Minuten köcheln lassen.

3 Kartoffeln zugeben und in der Soße schwenken, bis sie rundum benetzt sind. Topf bedecken und die Kartoffeln nochmals 8-10 Minuten erhitzen, bis sie gar sind. Mit Salz und Pfeffer würzen und in eine vorgewärmte Schüssel geben. Mit Petersilie garniert servieren.

Fritierter Seetang

In China wird dieses Gericht mit einer speziellen Art Tang zubereitet. Sie können jedoch auch sehr gut fein geschnittenen Grünkohl verwenden. Als Vorspeise oder als Beilage zu einem asiatischen Gericht servieren.

ZUTATEN

Für 4 Portionen
225 g Seetang, ersatzweise Grünkohl
Erdnuss- oder Maiskeimöl zum Fritieren
1/2 TL Salz
2 TL brauner Zucker
2-3 EL geröstete
  Mandelblättchen

1 Gemüse waschen, putzen, Strünke und welke Stellen entfernen. Blätter übereinanderlegen und zu einer festen Rolle zusammenrollen.

2 Mit einem scharfen Messer fein schneiden. Auf einem Tablett auslegen und 2 Stunden trocknen lassen.

3 Einen Topf oder Wok 5-7,5 cm hoch mit Öl füllen, auf 190 Grad erhitzen. Vorsichtig eine Hand voll der Blätter in das Öl gleiten lassen. Zuerst spritzt und zischt es, dann senken sich die Blätter zu Boden. Etwa 45 Sekunden fritieren, bis die Farbe etwas dunkler wird. Mit einem Schaumlöffel herausnehmen.

4 Auf Küchenpapier abtropfen lassen. Vorsichtig in einer Servierschüssel anrichten. Im Ofen warm halten, restliches Gemüse genauso zubereiten.

5 Wenn alle Blätter fritiert sind, mit Salz und Zucker bestreuen, sanft mischen. Mit gerösteten Mandeln garnieren.

KOCH-TIPP

Achten Sie darauf, dass Ihre Fritierpfanne tief genug ist, dass das Öl nicht überkocht, wenn es blubbert. Niemals höher als bis zur Hälfte mit Öl füllen.

Pastinaken-Püree mit Lauch

Milde und leicht verdauliche Pürees sind eine wunderbare Beilage zu kräftigen Hauptgerichten. Die beiden Gemüsesorten harmonieren prima.

ZUTATEN

Für 4 Portionen
2 große Stangen Lauch, in Ringen
3 Pastinaken, in Scheiben
1 Klacks Butter
3 EL Rahm
2 EL Frischkäse
1 kräftiger Spritzer Zitronensaft
Salz, schwarzer Pfeffer aus der Mühle
geriebene Muskatnuss zum Garnieren

1 Lauch und Pastinaken zusammen dämpfen oder in Salzwasser bissfest dünsten. Gut abtropfen lassen, in eine Küchenmaschine oder Mixer füllen.

2 Restliche Zutaten dazugeben, alles zu einem geschmeidigen Püree verarbeiten. Abschmecken und in eine angewärmte Schüssel umfüllen. Mit Muskat bestreuen.

Ofentomaten mit Knoblauchbutter

Verwenden Sie die aromatischen italienischen Flaschentomaten, wenn Sie sie bekommen. Dieses Gericht ist ideal für Sommertage, wenn es vollreife Tomaten überall preiswert zu kaufen gibt.

ZUTATEN

Für 4 Portionen

3 EL ungesalzene Butter
1 große Knoblauchzehe, durchgepresst
1 TL feingeriebene Orangenschale
4 feste Flaschentomaten oder 2 große Fleischtomaten
Salz, schwarzer Pfeffer aus der Mühle
Basilikumstreifen zum Garnieren

1 Butter weich werden lassen, mit dem Knoblauch, Orangenschale und Gewürzen mischen. Kurz kühlen.

2 Backofen auf 200 Grad vorheizen. Tomaten halbieren und flachschneiden, sodass sie stehenbleiben.

3 Tomatenhälften in eine feuerfeste Form setzen. Die Butter gleichmäßig darauf verteilen.

4 Je nach Größe die Tomaten 15-25 Minuten überbacken, bis sie weich sind. Mit Basilikum bestreuen. Als Beilage servieren.

EINFRIER-HINWEIS

Knoblauchbutter kann man sehr gut einfrieren. Sie können statt der im Rezept angegebenen Orangenschale gern auch gehackte Petersilie verwenden. Gewürzte Butter zuerst im Kühlschrank vorkühlen, dann in dicke Scheiben schneiden und in Folie gewickelt einfrieren.

Möhrenrohkost mit Zitrone

Dieser frische und superknackige Salat schmeckt herrlich, auch wenn Sie nicht auf Diät sind!

ZUTATEN

Für 4 Portionen

450 g junge Bundmöhren
abgeriebene Schale und Saft von
  ¹/₂ Zitrone
1 EL brauner Zucker
4 EL Sonnenblumenöl
1 TL Haselnuss- oder Sesamöl
1 TL gehacktes frisches Oregano
Salz, schwarzer Pfeffer aus der Mühle

1 Möhren fein reiben, in eine große Schüssel füllen. Zitronenschale, 1-2 EL Zitronensaft, Zucker, Sonnenblumen- und Haselnuss oder Sesamöl untermischen, gut verrühren.

2 Gut durchziehen lassen, dann nochmals mit Zitronensaft, Salz und Pfeffer kräftig abschmecken. Vor dem Servieren mit Oregano bestreuen.

KOCH-TIPP

Für diesen Salat können Sie auch andere Wurzelgemüse verwenden. Ersetzen Sie zum Beispiel die Hälfte der Möhren durch Knollensellerie oder Kohlrabi.

Pfannengerührter Rosenkohl

Wenn Sie bisher dachten, Rosenkohl sei langweilig, probieren Sie das Gemüse doch mal mit wenig Fett in der Pfanne gerührt und raffiniert gewürzt.

ZUTATEN 🍎

Für 4 Portionen
450 g Rosenkohl
1 TL Sesam- oder Sonnenblumenöl
2 Frühlingszwiebeln, in Ringen
$^1/_2$ TL chinesisches 5-Gewürze-Pulver
1 EL süße Sojasoße

1 Rosenkohl putzen, dann mit einem großen Gemüsemesser in feine Streifen schneiden oder hacken.

2 Öl erhitzen, Rosenkohl und Zwiebeln darin 2 Minuten anschwitzen.

3 Gewürzmischung und Sojasoße zugeben und weitere 2-3 Minuten unter Rühren braten.

4 Wenn das Gemüse bissfest ist, heiß zu Fladenbrot servieren.

--- KOCH-TIPP ---

Rosenkohl ist reich an Vitamin C. Je kürzer Sie ihn kochen, desto höher bleibt der Gehalt. Sie können Wirsing oder Weißkohl auf dieselbe Weise zubereiten. Die Würze ergänzt den Kohl perfekt.

Fenchelgemüse mit Weizen

ZUTATEN

Für 4 Portionen

115 g Weizenschrot

1 große Fenchelklnolle, fein gehackt

115 g grüne Bohnen, blanchiert und
kleingeschnitten

1 kleine Orange

1 Knoblauchzehe, durchgepresst

2-3 EL Sonnenblumenöl

1 EL Weißweinessig

Salz, schwarzer Pfeffer aus der Mühle

$^1/_2$ gelbe oder rote Paprika, entkernt und
feingehackt zum Garnieren

1 Weizen in eine Schüssel geben, mit
kochendem Wasser bedecken. 10-15
Minuten quellen lassen. Wenn die
Körner die doppelte Größe haben, abgießen und Restflüssigkeit ausdrücken.

2 Fenchel und Bohnenstücke unter
den noch warmen Weizen heben.
Orangenschale abreiben. Orange dick
schälen und filetieren. Stücke zum Salat
geben.

3 Knoblauch und Orangenschale
mischen. Mit dem Öl, Essig und den
Gewürzen gut verquirlen. Dressing über
den Salat geben, gut vermischen.
Weizensalat noch etwa 1 Stunde kühlen
und durchziehen lassen.

4 Vor dem Servieren mit den
Paprikawürfeln bestreuen.

Bohnen-Tomaten-Gemüse

Diese aromatische Gemüsebeilage passt zu Kartoffelgerichten oder Polenta. Sie können sie auch mit Bohnenkraut würzen.

ZUTATEN

Für 4 Portionen
675 g Stangenbohnen, kleingeschnitten
3 EL Butter
4 reife Tomaten, gehäutet, gehackt
Salz, schwarzer Pfeffer aus der Mühle
gehackter Estragon zum Garnieren

KOCH-TIPP

Sie können auch grüne Bohnen statt Stangenbohnen verwenden. Verkürzen Sie die Kochzeit dann etwas.

1 Bohnen in einen Topf mit kochendem Wasser geben, 3 Minuten köcheln lassen. Gut abtropfen.

2 Butter in einem kleinen Topf schmelzen, Tomaten, Bohnen und Gewürze zugeben. Zugedeckt ca. 10-15 Minuten bei schwacher Hitze dünsten, bis die Bohnen gar sind.

3 Gemüse in eine angewärmte Schüssel füllen und mit gehacktem Estragon bestreuen. Heiß als Beilage servieren.

Sommerspinat mit Roter Bete

ZUTATEN

Für 4 Portionen
3 EL Olivenöl
1 -1 $\frac{1}{4}$ TL Kümmelsamen
Saft von 1 Orange
1 TL Ahornsirup
675 g gekochte Rote Bete, gewürfelt
Salz, schwarzer Pfeffer aus der Mühle
Sommerspinat und gehackte frische Petersilie zum Garnieren

1 Eine flache Salatschüssel mit Spinatblättern auslegen.

2 Öl in einem Topf erhitzen, Kümmel, Orangensaft, Ahornsirup, Salz und Pfeffer zugeben, kurz erhitzen.

3 Rote Bete zugeben und den Topf schwenken, damit alles benetzt wird.

4 Die warme Rote-Bete-Mischung auf den Spinatblättern anrichten. Gehackte Petersilie darüberstreuen. Sofort servieren. Eignet sich als Beilage oder als leichtes Hauptgericht.

KOCH-TIPP

Frische Rote Bete schmeckt milder und aromatischer als die aus dem Glas.

Neue Kartoffeln aus der Folie

Wenn Sie ein Gericht ohnehin im Ofen zubereiten, sollten Sie diese köstlichen Kartoffeln dazu servieren. Packen Sie sie einfach in eine Ecke des Backofens. Auch auf dem Grill oder im Feuer können Sie sie langsam garen.

ZUTATEN

Für 4 Portionen
16–20 sehr kleine Kartoffeln
4 EL Olivenöl
je 1–2 Stiele Thymian, Estragon und
    Oregano oder 1 TL gemischte
    getrocknete Kräuter
Salz, schwarzer Pfeffer aus der Mühle

1 Backofen auf 200 Grad vorheizen. Ein großes oder vier kleine Stücke Alufolie fetten.

3 Kartoffeln auf die Folie(n) setzen und verschließen. Auf einem Backblech 40–50 Minuten backen. Die Kartoffeln konservieren die Wärme für eine ganze Weile.

2 Kartoffeln in eine große Schüssel füllen, restliche Zutaten zufügen. Alles gut mischen, sodass die Kartoffeln mit Würze und Öl überzogen sind.

Sautierte Kohlröschen mit Nüssen

Das grün-weiße Gemüsegericht sieht frisch aus und erhält durch ein Nussdressing seine Raffinesse.

ZUTATEN

Für 4 Portionen
175 g Blumenkohlröschen
175 g Brokkoliröschen
1 EL Sonnenblumenöl
50 g Haselnüsse, fein
    gehackt
$^1/_4$ rote Chilischote, fein gehackt oder
    1 TL Chilipulver (nach Belieben)
4 EL Crème fraîche oder
    Frischkäse
Salz, schwarzer Pfeffer aus der Mühle
feingeschnittene Chiliringe oder
    gehackte rote Paprika zum Garnieren

1 Brokkoli und Blumenkohl in gleich- große Röschen zerpflücken. Öl in einer Pfanne oder im Wok erhitzen. Kohlgemüse darin bei starker Hitze 1 Minute unter Schwenken anbraten.

2 Herd herunterschalten und 5 Minuten weitergaren. Dann Nüsse, Chili und Gewürze zufügen.

3 Wenn der Blumenkohl fast gar, aber noch knackig ist, die Sahne oder den Frischkäse zufügen und alles gut durch- erhitzen. Sofort servieren, nach Belieben mit Chiliringen oder Paprika bestreuen.

> KOCH-TIPP
>
> Schmeckt auch kalt als Salat köstlich. Aber verkochen Sie die Röschen nicht. Garen Sie sie nur bissfest und lassen Sie sie ein paar Minuten im Sud ziehen.

INDEX